# Où vont
## les guêpes
## quand
## il fait
## froid ?

# PASCALE WILHELMY

## Où vont les guêpes quand il fait froid ?

Libre Expression
Une société de Québecor Média

Catalogage avant publication de Bibliothèque et Archives nationales du Québec et Bibliothèque et Archives Canada

Wilhelmy, Pascale
Où vont les guêpes quand il fait froid?
ISBN 978-2-7648-0915-0
I. Titre.
PS8645.I434O9 2013      C843'.6      C2013-941780-X
PS9645.I434O9 2013

Édition: Lison Lescarbeau
Direction littéraire: Marie-Eve Gélinas
Révision linguistique: Isabelle Lalonde
Correction d'épreuves: Sabine Cerboni
Couverture, grille graphique intérieure et mise en pages: Chantal Boyer
Photo de l'auteure: Julien Faugère

Cet ouvrage est une œuvre de fiction; toute ressemblance avec des personnes ou des faits réels n'est que pure coïncidence.

**Remerciements**
Nous reconnaissons l'aide financière du gouvernement du Canada par l'entremise du Fonds du livre du Canada pour nos activités d'édition.
Nous remercions le Conseil des Arts du Canada et la Société de développement des entreprises culturelles du Québec (SODEC) du soutien accordé à notre programme de publication.
Gouvernement du Québec – Programme de crédit d'impôt pour l'édition de livres – gestion SODEC.

Les Éditions Libre Expression
Groupe Librex inc.
Une société de Québecor Média
La Tourelle
1055, boul. René-Lévesque Est
Bureau 300
Montréal (Québec) H2L 4S5
Tél.: 514 849-5259
Téléc.: 514 849-1388
www.edlibreexpression.com

Dépôt légal – Bibliothèque et Archives nationales du Québec et Bibliothèque et Archives Canada, 2013

ISBN: 978-2-7648-0915-0

**Distribution au Canada**
Messageries ADP
2315, rue de la Province
Longueuil (Québec) J4G 1G4
Tél.: 450 640-1234
Sans frais: 1 800 771-3022
www.messageries-adp.com

**Diffusion hors Canada**
Interforum
Immeuble Paryseine
3, allée de la Seine
F-94854 Ivry-sur-Seine Cedex
Tél.: 33 (0) 1 49 59 10 10
www.interforum.fr

*À mon père et à ma mère, qui m'ont légué l'amour.*
*Des autres, de la lecture.*
*Et aussi des mots.*
*Avec eux, jamais je ne me suis ennuyée.*

# CHAPITRE 1

*Étendue dans l'eau tiède, elle avait oublié sa gêne, les marques sur ses jambes et le soleil qui frappait dans la pièce. Une lumière crue qui ne pardonnait rien; l'inconnu face à elle n'aurait plus d'illusions. Seul le bruit des gouttes qui s'échappaient, lentement, une à une, du robinet brisait ce silence parfait. Elle pensa furtivement au supplice chinois, que son frère, en bon aîné cruel, lui avait raconté pour l'effrayer. Il avait vu juste. À sept ans, ce n'étaient ni les sorcières ni les monstres qui peuplaient ses cauchemars. Simplement des gouttes assassines qui tombaient, en un rythme régulier et impitoyable, sur son front.*

◆

Lorsqu'une violente émotion m'étreint, je sors de mon corps. Je m'en détache pour en faire une tranche de roman. Je deviens la narratrice de ma propre vie. La décrire non pas avec une précision chirurgicale, mais avec des mots qui forment un écran opaque. Une protection solide qui, en général, ne demande pas d'aller plus loin. Je parle de moi à la troisième personne, à la manière des gens qui s'estiment sans connaître le doute. Ces bavards qui racontent leurs propres exploits en utilisant le « il », mille fois plus grand que le « je ». Le « je » outrageusement petit pour eux.

Dans mon cas, l'exercice n'a rien d'un gonflement de l'ego ; c'est une question de survie.

Plus rarement, quand c'est trop, j'essaie de me noyer. Sans lac, sans rivière, sans cailloux dans les poches de mon manteau. Seulement en inspirant très fort. Je pose ensuite la main sur ma bouche et mon nez et je compte. Jusqu'à présent, j'ai toujours survécu. Ma noyade à l'air libre devra attendre. Surtout maintenant. Je suis ailleurs.

Ce matin, je ne le connaissais pas. Depuis, j'ai touché le ciel à deux reprises. Une première fois dans le couloir qui mène à sa chambre. Dès l'entrée, j'ai laissé tomber mes vêtements et ma peur. Et la seconde fois, dans un lit dont je me rappelle uniquement les deux taies d'oreiller dépareillées. Maintenant, je suis dans un bain, avec cet étranger.

Il commence à me caresser avec ses pieds, moi qui déteste cette partie du corps. En montant doucement, il s'attaque à mes joues. Avec ses talons, il les masse, les pétrit en faisant basculer ma tête, qui se soumet à ses mouvements. Les yeux fermés, je me laisse aller à cette chorégraphie singulière. Je m'y abandonne. Mes joues sont chaudes. J'ouvre les jambes, puis les yeux. Moi qui marche encore la tête penchée vers le trottoir, je le fixe. Pourtant, depuis des mois, je fuis les regards. Je redoute qu'on y lise ma tristesse, qu'on devine mes nuits plus que blanches. Ici, en ce moment, tout est différent. Je n'ai peur de rien, pas même de son jugement. Et puis, je suis profondément excitée. Mes joues s'enflamment. Ma respiration s'accélère et, les deux mains solidement agrippées à la baignoire, je jouis.

J'ignorais que c'était possible.

Un peu plus et je voudrais des spécialistes sur place, des juges qui, sans le noter, corroboreraient l'authenticité de mon plaisir. Lui et moi sommes les seuls témoins de cet instant trouble. La narration ne tient plus. Parler de moi à la troisième personne pendant des heures ne suffirait pas. Je plonge dans l'eau. Pour éviter de le regarder et, surtout, de m'expliquer.

Je glisse mon corps, je renverse ma tête, et voilà que je compte doucement. 1, 2, 3... Je sais que je peux tenir longtemps. C'est un jeu que j'ai redécouvert. Comme une enfant, je le pratique tous les jours. Je m'enfonce loin du monde extérieur. Je retiens mon souffle et je compte. 17,

18, 19... Au début, j'ai même essayé d'en mourir. Mais avec cette méthode, c'est impossible. Puis, avec le temps, j'ai sagement décidé de vivre et de surpasser de jour en jour mon propre record.

42, 43, 44, je me dis qu'il a tout compris. J'aurais été déçue qu'il tente de me toucher, de me sortir de l'eau. Il me laisse aller. Quand j'émerge, vivante, j'évite son regard. Je reviens vite à mes habitudes. Je me demande ce qui l'a étonné le plus, une femme qui jouit du visage ou qui s'enfonce une minute dans la baignoire. Je ne pose pas la question. Je me lève. Je me sèche. Je m'habille. Je me sauve de cet appartement que je ne connais pas.

◆

Tout se bouscule. Sur le trottoir, les cheveux encore mouillés, je pose d'immenses lunettes noires sur mes yeux. Elles me servent d'armure. Cette fois, elles ne camouflent pas mes pleurs mais ma gêne. J'ai agi en débutante. Je suis d'une navrante maladresse. Il y a plus d'un an que je n'ai ni peau, ni amant, ni homme dans ma vie. Je me croyais naufragée à jamais. Et tout ce que j'éprouve en cet instant, c'est une honte en plein ventre. Je devrais danser sur le trottoir, sourire aux inconnus, me pencher pour ramasser les feuilles mortes, rouges de plaisir.

*Dans ces instants de doute, il n'y avait qu'un endroit où elle se sentait bien, en parfaite sécurité comme dans*

*les bras d'une mère. C'était le parc à quelques pas de
chez elle. En redressant son capuchon pour protéger sa
tête humide, elle marcha jusqu'à ce lieu qui la recevait
même au plus creux de ses peines.*

Impossible de souffrir sa gêne en paix. Mon cellulaire
sonne à répétition. Je m'entête à ne pas répondre. Je
veux profiter de mon île et de son calme. Mon téléphone
revient à la charge.

— Maman ? T'es où ?

Au parc. Le plus réconfortant de tous avec son
bassin, sa fontaine, ses bancs de pierre et la mousse verte
à leurs pieds. Sur leur vélo, des enfants profitent de cet
automne qui s'étire. Même les parents sont calmes en
cette fin d'après-midi d'un orangé qui apaise. La carte
postale est presque achevée. Seuls les arbres, maintenant
nus, semblent démunis.

— Tu fais quoi ?

J'aurais voulu lui dire que je regardais deux oiseaux
qui semblaient vouloir s'accoupler. C'est possible en
novembre ? Je me demande s'ils éprouvent du plaisir. Si
la femelle apprécie ces rares instants de sexe.

Depuis un bon moment, je suis là, assise sur mon
banc préféré, à chaque promenade le même, comme une
vieille dame qui a ses habitudes.

J'assiste au bal tardif des oiseaux. Je ne connais rien
à leur mode de vie et je m'en veux de mon ignorance.
Ont-ils des sentiments ? Sont-ils fidèles ? Je sais simplement qu'ils se reproduisent surtout au printemps. J'ai

manqué la parade nuptiale. Leur grand jeu de séduction. C'était il y a quelques secondes. C'était hier. C'était il y a des mois.

Si Laurent était encore là, à mes côtés, il saurait me dire. Il connaissait les bêtes, les marées et les étoiles. Il était le spécialiste de la saison des amours et des essences des arbres. Il avait un penchant pour le précieux bois de rose et celui de tilleul.

Son bagage impressionnait l'urbaine que je suis. Je peux décliner, sans hésitation, les bonnes adresses de mon quartier. En pleine forêt, je reconnais l'érable et le chêne ; pour le reste, je fais preuve d'une ignorance propre à ceux qui marchent toujours sur le trottoir.

L'an dernier, j'ai croisé un nid de guêpes tombé par terre, comme un énorme paquet de cendres.

— Où vont les guêpes quand il fait froid ? lui ai-je demandé.

— Elles ne vont nulle part. Elles meurent toutes à l'automne. Les reines sont les uniques survivantes et, si ça se trouve, elles sont là, bien au chaud dans le grenier ou encore dans l'entretoit de l'atelier.

Tout ça avait été dit avec détachement, une forme de fatalité.

— Elle est triste, ton histoire, avais-je répliqué.

Laurent s'était tourné vers moi. De ses mains, il avait pris mon visage, m'avait embrassée avec tendresse. J'étais en lui. Jusqu'à ce qu'il se détache, doucement, et qu'il me regarde. Trop fixement.

— Ce n'est pas une histoire. C'est la vie. On meurt tous les jours.

J'aurais dû me douter.

◆

— Maman… Est-ce que tu reviens manger ? Ma fille me ramène à moi, à la lumière du jour qui s'efface lentement. Il n'y a plus qu'un trait brûlant à l'horizon. Oui, je vais rentrer. Laisse-moi retrouver mes esprits, ma dignité. Je m'en veux de m'être laissée aller. Depuis des mois, les jeudis sont sacrés. Ma fille m'invite à souper, chez moi. Elle ne manque pas un rendez-vous. J'ai oublié celui-ci comme, un peu plus tôt, j'ai oublié mon ventre, mes peines, mes marques. Je m'en veux de m'être sauvée de cet appartement, de cet homme. Je regrette d'avoir connu tant de plaisir. Sans lui.

◆

Une odeur de cari flotte dans l'appartement. Malgré ses vingt-deux ans, Marion est une cuisinière plus que douée. Le mérite revient à son père. Elle a observé, compris, goûté et aujourd'hui, elle confronte les saveurs dans des luttes spectaculaires. Au menu : un canard au cari et aux raisins qui aurait mérité un grand soir de fête.

— Tes cheveux... Tu vas être malade! s'indigne ma trop jeune mère en m'embrassant.

Marion et son frère, Antoine, après quelques mois en appartement, chacun de leur côté, sont revenus vivre avec moi. Cas de force majeure. Puis, j'ai dû les convaincre, en juin dernier, de reprendre leur vie. Que la mienne allait suivre son cours et que je garderais la tête et l'esprit hors de l'eau. J'ai tenu promesse. Même les vacances qui se sont étirées de la fin août à la mi-septembre ont été heureuses. Les enfants étaient beaux sur la plage et je souriais enfin.

— Marion, oublie la psychologie, suis des cours de cuisine. Tous les restos vont vouloir de ton talent.

Ma fille est belle et si différente de moi. Je l'ai eue très jeune. Lorsque je la promenais dans l'immense poussette dénichée dans une boutique de seconde main, on croyait que j'étais sa nounou. Elle était blonde et d'une blancheur de porcelaine. J'ai les cheveux noirs et la peau foncée. Encore aujourd'hui, nous avons bien peu de traits communs, sinon le sourire. Celui que je retrouve, lentement. Celui qu'elle affiche lorsqu'elle me voit prendre du mieux.

À l'arrivée d'Antoine, son frère, on me regardait avec admiration. Je n'avais pas vingt-cinq ans et je paradais, fière et amoureuse, avec mes deux enfants. Les passants nous remarquaient sur notre chemin. Aux yeux des parents, qui pour la plupart s'ennuyaient dans les parcs, j'avais l'apparence d'une gardienne remarquablement dévouée.

Marion aime les études tandis que je les ai abandonnées avant de réussir quoi que ce soit. Les salles de cours m'étouffaient. Je manquais d'air et de concentration. Ma studieuse les fréquente avec naturel. Elle se passionne maintenant pour la psychologie. Elle est le professeur dont j'ai toujours rêvé, partageant avec simplicité ses nouvelles connaissances. Dans un cours récent, elle a appris que les pères et les mères, spontanément, cajolent plus les poupons qui sont beaux. Ceux qui ont gagné, en quelque sorte, à la « loto-génétique ». Il semble même que certains prématurés aient un développement plus lent parce qu'ils ont été tout simplement moins stimulés. Sans même le réaliser, leurs proches, les trouvant peu attrayants, ont moins tendance à les prendre dans leurs bras, à leur parler.

Depuis la rentrée universitaire de Marion, nos soupers gravitent ainsi autour de ces théories nouvellement acquises. Et pendant que nous goûtons sa dernière création, je me dis que j'ai bien fait. Avec elle et avec son frère.

Puis, je m'emporte. J'ajoute que j'ai bien fait avec mon inconnu. Dans le même élan, je décide que je jette mes provisions de médicaments. Ce soir, je m'organise une battue. Je me déleste de ceux que j'ai cachés, ici et là, dans la maison en cas d'urgence, de manque ou de noyade ratée. Je largue tous les comprimés qui m'ont permis de traverser le départ brutal et planifié de l'homme que j'aimais.

◆

Avant lui, j'avais effacé de mes espoirs le grand frisson. Je me voyais collectionner, comme les graines d'un chapelet noir entre des mains vieillies, les aventures, les déceptions. Les dernières années avaient été éloquentes. J'avais le don de trouver des candidats qui m'éloignaient chacun un peu plus d'un éventuel bonheur conjugal.

Ma rencontre avec Laurent, imprévue et bénie, a eu lieu en mars dernier. En pleine soirée de désamour avec l'hiver. Celui qui nous sape le moral. Il avait suffisamment duré. Il tombait des gouttes glacées qui me gelaient jusqu'aux os. Je revenais de faire les courses, à pied, comme à l'habitude. J'avais les bras trop encombrés. Je portais mon lourd manteau d'hiver et la fourrure de mon capuchon dégageait une odeur de chien mouillé et repentant. Je grimaçais sous la pluie froide lorsque j'ai entendu :

— Vous avez échappé un gant.

C'est à moi qu'on s'adressait. De peur de les abîmer sous la pluie, je tenais mes gants vert pomme dans mes mains, tentant de les glisser dans un sac. J'en étais tombée amoureuse et je les avais achetés la veille. J'avais été patiente, attendant qu'ils soient en solde. Ce qui avait tardé. Et voilà que l'un d'eux venait d'atterrir sur le trottoir.

Je me suis retournée. En levant les yeux, j'ai croisé un regard, un nez et une bouche qui m'ont plu. Devant moi, un homme me tendait mon gant.

— C'est un classique, ai-je lancé. Ça marche à tout coup.

Il a souri et a proposé de m'accompagner.

— Pas nécessaire, j'habite à côté.

— Le chemin sera plus court, a-t-il ajouté.

Avec un naturel désarmant, il a pris un sac tout en m'escortant.

À la seconde, j'ai aimé être à ses côtés. Je ne ressentais pas le besoin de parler, de faire l'intéressante. J'éprouvais, prématurément, l'envie de l'effleurer, de la main, du coude. J'aurais voulu le humer, deviner son parfum. J'ai remarqué que nos pas frappaient le sol trempé en cadence. Il y avait dans cette concordance quelque chose de très rassurant.

Devant mon appartement, nous nous sommes présentés. Il m'a dit qu'il fréquentait rarement la ville, qu'il habitait la campagne. Il passait dans le coin pour visiter la boutique de meubles d'un ami. J'ai alors entendu les battements de mon cœur. Ils frappaient, en accéléré, sur mes tempes. Une incroyable musique, que moi seule entendais, accompagnait notre conversation.

— Je suis ébéniste. J'ai besoin d'inspiration.

Un ébéniste. Un ébéniste, me répétai-je, éblouie. Il ne pleuvait plus. Je n'avais plus froid. J'étais en plein conte de fées. Ceux auxquels j'avais cessé de croire. Même Blanche-Neige, en recrachant sa pomme, n'a pas été plus enchantée. J'en suis certaine.

Depuis des mois, je racontais à mes amis que j'attendais l'homme idéal. Celui qui taillerait le bois. Qui m'offrirait un immense lit en chêne. Et qui me ferait l'amour sur une table faite de ses mains.

Je l'avais devant moi, grâce à mes gants vert pomme achetés en solde.

Sur le pas de mon appartement, nous avons pris rendez-vous. Sans nous faire désirer ou jouer la fausse indépendance, nous avons décidé de nous revoir deux jours plus tard. J'ai cru bon de préciser que ce n'était pas dans mes habitudes de solliciter des inconnus. Que je me méfiais des étrangers. Et, surtout, que je ne recevais pas chez moi le premier passant qui me rendait service. L'invitation était tout de même lancée.

— Après-demain, vers dix-neuf heures trente, ai-je conclu.

Je suis entrée, tremblante, transie et excitée. Ravie. Dans le miroir de l'entrée, j'ai croisé mon visage. Le spectacle était désolant. Mon mascara n'avait pas résisté à la pluie et mes cheveux étaient complètement aplatis. Impossible qu'il m'ait trouvée jolie, pas avec cette allure. Il ne viendrait pas au rendez-vous. Il s'était joué de moi.

Mais non. Malgré mes airs de lutteuse s'effondrant dans le ring, il était venu.

# CHAPITRE 2

J'ai frôlé le désastre. Un échec digne de mes ambitions. Sans modestie aucune, je me considère comme la spécialiste des déjeuners sur l'herbe. C'est l'idée que j'avais lancée à mon ébéniste tandis qu'il poursuivait son chemin sur le trottoir.

— On oubliera l'hiver!

Chacune de mes conquêtes a craqué devant cette opération de charme que je mène avec art. Une jolie nappe, un panier garni, du vin frais et un endroit bien choisi, rien ne m'échappe. En général, j'opte pour une petite île qui donne sur la ville. Les beaux soirs, on y voit le soleil se coucher derrière les gratte-ciel. L'effet est saisissant. Il contribue sans doute à ce que ces repas se terminent sur une grande couverture dans des étreintes victorieuses.

Alors, pour séduire celui qui me ferait un jour un immense lit, je l'ai invité à ce classique de mon cru. Malgré le mois de mars, malgré le temps maussade. Durant la journée, j'ai fait les courses pour que le repas soit parfait. J'ai déposé une nappe à carreaux verts et blancs sur la table ainsi qu'un bouquet d'hydrangées déniché après d'intenses recherches, chez le troisième fleuriste visité. J'y tenais. Certains les détestent, moi, je craque pour leurs boules généreuses qui me rappellent la maison de campagne de mes grands-parents. Je leur ai d'ailleurs demandé, en regardant vers le ciel, de m'aider à ce que tout se passe bien.

Sensible aux odeurs, j'ai fait bouillir des zestes de citron pour que mon refuge sente l'été. Je jouais la fée du logis. Et je me suis emballée. C'est aussi dans ma nature. J'ai enfilé une petite robe à fleurs, parfaitement hors saison, et j'ai décidé d'enlever mon collant. Je recevrais mon homme, jambes et pieds nus, comme aux beaux jours.

Bien avant de devenir une arme de séduction infaillible, les repas en plein air m'ont toujours plu. Ils évoquent mon enfance. C'était une fête.

Comme de laborieuses petites fourmis, les cinq enfants entraient et sortaient de la maison en portant les assiettes, la nappe, les ustensiles. Nous dressions la table sous le grand pommier. Pour ma mère, il s'agissait d'un heureux prétexte pour épargner la cuisine des désastres quotidiens, du lait qui se renverse, des miettes sous la table. Pour mon frère et mes sœurs, c'était l'occasion de jouer jusqu'à ce que les plats arrivent. De mon côté, je partais à la recherche de fleurs et de brindilles pour en décorer délicatement chacune des assiettes. Je regrettais parfois que mon père n'ait jamais planté de cerisiers derrière la maison. Depuis que j'avais vu la couverture du livre *Des vacances géniales!* dans une librairie, j'enviais Martine. Je rêvais de porter, comme elle, des cerises bien rouges en guise de boucles d'oreilles.

Plus tard, j'ai délaissé les aventures de cette petite fille parfaite, trop polie. C'est dans les salles obscures des cinémas que j'ai rêvé de repas en plein air. J'ai souvent aspiré à des déjeuners sur l'herbe dignes de ce film de Louis Malle où Michel Piccoli et la famille réunie goûtent cette journée douce et langoureuse.

Mon plan était parfait. Puis j'ai pensé aux chandelles. Essentielles. Dans les armoires, je n'ai trouvé que des reliquats de Noël, au parfum de cannelle et de pin, totalement inadéquats pour l'occasion. J'ai saisi mon manteau et, sans même enfiler mes collants, j'ai couru jusqu'à la première boutique vendant des bougies.

De retour, un peu essoufflée, je les ai joliment déposées sur la table. Il ne me restait plus qu'à attendre, comme une petite fille inquiète, ce premier rendez-vous. Serait-il aussi beau que je l'imaginais? Aurions-nous assez de paroles, de mots, pour meubler les silences gênants?

La soirée pouvait être longue comme une journée de tempête dans un aéroport.

J'ai regardé l'horloge. Bientôt dix-neuf heures. Il ne restait plus que trente minutes avant que Laurent ne frappe à ma porte. J'en ai profité pour paniquer.

Dans un éclair de lucidité, j'ai jeté un regard critique sur la table, la nappe à carreaux, le panier d'osier. Je me suis observée dans la glace avec ma robe fleurie, mes jambes nues. J'ai saisi tout le ridicule de la situation. Je n'étais pas dans un livre pour enfants. J'étais navrante de mauvais goût. N'importe quel homme, même le plus épris, s'enfuirait au premier coup d'œil.

Paniquée, j'ai vidé mon panier puis relégué mon bouquet à ma chambre en m'excusant à haute voix auprès de mes grands-parents. J'ai troqué la nappe à carreaux contre une autre en lin écru et j'ai enfilé ce qui m'est tombé sous la main : un jeans et un t-shirt noir. Pourtant, j'ai mille robes. Inconsciemment, j'ai voulu me protéger. C'est que j'ai la robe légère. C'est une de mes faiblesses. Dès que je désire, je la retrousse avec une fougue inquiétante. Cette fois, je voulais autre chose. Mon jeans calmerait mes élans.

L'insouciance de ma jupe, cette aisance à la soulever pour rapidement enfourcher mon coup de cœur du moment m'a souvent mal servie. Je lui dois notamment deux infections dont on ne se vante pas. Une de ces fautes m'oblige à avaler d'immenses comprimés bleus dès que j'entreprends une relation présumée stable. Un mal qui me force à mentir chaque fois qu'on me demande si je veux participer à la prochaine collecte de sang organisée par mes employeurs. « J'ai peur des aiguilles, j'en suis incapable » est la réponse officielle.

Je m'imagine mal jouer la franchise en y allant d'un : « Désolée, j'ai l'herpès. Mon sang n'est pas très fréquentable. » La phobie des aiguilles, même si elle est complètement lâche, demeure nettement plus noble.

J'ai évité de peu la catastrophe. Deux faux pas, même : un repas criant de mauvais goût et du sexe consommé avant l'heure. Plus le temps avançait, plus j'espérais secrètement que Laurent n'aurait pas pris à la lettre mon invitation. Qu'il manifesterait plus de retenue que moi.

Il a frappé. Dans la glace, je me suis regardée une dernière fois. J'ai replacé, inutilement, mes cheveux. J'ai observé ma poitrine. Les battements de mon cœur, si forts, étaient invisibles. Et j'ai respiré. D'un air décontracté, j'ai ouvert la porte. Je l'ai accueilli. Mon cœur restait discret.

Quand il a enlevé son manteau, j'ai été soulagée. Il portait une chemise bleu pâle de belle qualité ; il était élégant. Puis, il m'a tendu un bouquet. Des hydrangées.

Pourtant, elles sont si rares en cette période de l'année. Je n'ai pu m'empêcher d'y voir un signe. Un clin d'œil venu de très haut, d'une grand-mère qui m'a légué son amour des fleurs.

La suite s'est révélée d'une étonnante simplicité. Les mots coulaient, sans être inutiles. Laurent s'intéressait à moi. Ces dernières années, j'avais trop souvent fréquenté des ego démesurés. J'avais collectionné les relations avec des êtres convaincus que leur récit était au-dessus de tout ennui. Il y a même eu certains suffisants qui s'attardaient à leur vie comme on le fait devant un chef-d'œuvre. Dans les musées, ils sont de ceux qui s'approchent pour mieux observer, puis s'éloignent de quelques pas pour avoir une vue d'ensemble. Pour vous éblouir, ils vous récitent ensuite, en faux connaisseurs, ce qu'ils ont avalé dans les guides tout juste avant la visite.

Cette fois, on s'attardait à mon histoire. Laurent m'a questionnée sur les enfants qu'il venait d'apercevoir sur les photos. Et tout naturellement, j'ai fait le bilan de mes quarante-trois années d'existence, de ma famille, de mon travail. J'ai survolé mes rares histoires d'amour et mes déceptions, plus abondantes. J'aurais pu lui épargner mes infortunes sentimentales mais, étrangement, j'avais l'impression de connaître mon invité depuis longtemps.

À son tour, il m'a raconté des pans de sa vie. Il s'est attardé au grand tournant qu'elle avait pris le jour de ses trente-cinq ans. Sur un coup de tête, sa carrière de conseiller financier roulant à toute allure, ses investissements ayant résisté à la débâcle, il avait décidé de s'offrir une récompense. Une voiture, sportive, nerveuse, achetée en quelques minutes.

Ensuite, il est rentré à la maison, seul, sans aucun frisson. Pas même en entendant le moteur puissant.

— Je n'ai rien éprouvé. Je n'en avais jamais rêvé, m'a-t-il confié.

Il venait de s'acheter une voiture de luxe sans émoi particulier. Il a compris qu'il préférait encore l'odeur du bois à celle du cuir luisant d'une voiture sport. Le petit garçon qui traitait son premier coffre à outils comme un trésor a tout largué. L'enfant qui fabriquait des cabanes à oiseaux, des coffres à bijoux pour sa mère et ses sœurs reprenait le dessus.

— J'ai quitté mon emploi, vendu mes actions et coupé les ponts avec ma famille.

Son père lui répétait qu'il le décevait. Sa mère ajoutait qu'il allait tuer son père.

Dans le parcours prévisible de sa conversion, il a déserté son appartement du centre-ville pour acheter une maison et un atelier à la campagne. Il m'a invitée à y aller la fin de semaine suivante.

J'aimais son histoire. Et de plus en plus l'homme. J'étais soulagée de porter mes jeans. Il possédait tout pour que je perde le contrôle. J'avais, depuis le début de la soirée, une folle envie de lui. En me quittant, il m'a remerciée. Et m'a embrassée sur la joue, presque à la commissure des lèvres. Un frôlement.

L'instant d'après, seule, je me suis appuyée contre le mur. J'ai fermé les yeux, porté une main à ma bouche pour caresser de mes doigts l'endroit du baiser. Mon autre main touchait mon ventre et descendait tout doucement vers la chaleur. Ce soir-là, dans l'entrée de mon appartement, j'ai fait l'amour à Laurent pour la première fois. Sans lui.

CHAPITRE 3

Mon inconnu, celui qui me fait oublier, cet amant qui allège mon chagrin, me prend sans ménagement. Quelques jours seulement après notre premier rendez-vous, je suis de retour dans cet appartement anonyme. J'ai tout juste le temps d'apercevoir une lampe à l'abat-jour bancal sur la table de chevet puis, au-dessus du lit, une photographie en noir et blanc de mains tendues vers le ciel. Étrangement, le noir et blanc ne m'étonne pas. C'est ce que j'avais imaginé de cet homme sans nom, sans histoire.

Sur le lit, les draps ont été lavés. Ils sentent frais. Il ne reste plus rien de notre premier rendez-vous, de ma sueur, des cheveux abandonnés sur le champ de bataille.

Pour le reste, je ne sais plus. Je n'ai pas besoin de mots. C'est ma spécialité. Il comprend que j'ai besoin d'être tâtée, façonnée. Que je veux être sa matière. Qu'il peut faire de moi ce qu'il veut. À lui de me tailler, de me sculpter, de me former et de me déformer. Je suis d'argile. Je ne vais pas m'offenser, résister, me braquer. Je fermerai les yeux. Je suivrai le flot. L'œuvre n'en sera que plus belle.

Silencieuse, je le laisse s'attaquer à ma nuque, à mes cheveux, à mon dos. Il laboure l'intérieur de mes cuisses. Puis, il revient à la charge. Il travaille mon ventre. C'est nouveau pour moi. Il le frôle doucement, en y traçant des cercles, de plus en plus grands, comme l'onde des pierres qu'on jette à l'eau. Ensuite, il appuie ses caresses. Il ferme son poing et me pétrit. Ma chair ondule sans même que je tente de la retenir. Et mon ventre se gonfle, comme un sexe, sous ses mains. Mon ventre. Celui sur lequel Laurent s'endormait en me soufflant qu'il n'existait pas d'endroit plus doux sur la planète.

— Tu es mon refuge, m'avait-il murmuré une nuit, épuisé.

Cette fois, je ne suis pas avec lui, mais entre les pattes d'un parfait étranger. Il n'y a rien de tendre. Seulement des gestes qui nous rapprochent de ce qu'est un animal. Nos têtes se frappent, nos corps aussi. Une lutte parfaite qui me libère complètement. À coups d'épaules, de ventre, avec mes bras qu'il retient au-dessus de ma tête. Il y a des griffures qui me rappelleront notre combat. Je grogne. Crie. Souvent. Trop fort.

J'ai peur qu'il comprenne ma douleur. Ou qu'il devine mon étonnement.

Il y a un an, j'étais muette. Sans voix. Pendant soixante-sept jours.

Pas un son pour éclater ma peine.

◆

C'est vrai. Avant la rencontre de mon inconnu, avant un hiver et un printemps qui se sont étirés, j'ai été sans mots, sans pleurs durant soixante-sept jours. Un mutisme absolu.

Ce n'est qu'au dixième matin silencieux qu'Antoine, du haut de ses vingt ans, a insisté pour m'emmener à l'urgence. « Une urgence, dix jours plus tard, ça ne tient pas la route, ai-je écrit. Nous ferions mieux de prendre un rendez-vous. » Il m'a répondu d'un ton qui n'accepterait pas de contestation, même silencieuse, qu'il ne supportait plus ma parole brisée. Et, surtout, qu'il n'en pouvait plus des pressions de la famille, des amis qui s'inquiétaient. Il était temps d'agir. Il est vrai que le silence indispose. Plus qu'on ne le croit. Mieux vaut babiller, meubler l'espace de propos aériens, on évite de penser. Et un silence sans pleurs, quand on est en deuil, dépasse l'entendement.

J'ai obéi à mon fils. À trois, Marion, lui et moi, nous avons donc patienté dans une salle d'un vert infiniment triste pendant des heures. Lorsque mon nom a retenti dans la salle, c'est à trois toujours que nous sommes entrés dans le bureau d'un médecin, une femme que j'ai eu du mal à supporter dès les premières secondes. Antipathique, gonflée d'une fausse assurance propre aux gens qui se détestent. Sans subtilité, elle m'a toisée de la tête aux pieds. Avoir eu la parole, je lui aurais demandé si mes chaussures lui plaisaient ou encore ce qu'elle pensait de la couleur de mes cheveux. Son regard, comme un *scanner*, frôlait l'indécence. De la part d'un homme, je me serais sentie déshabillée. De sa part, cela ressemblait à du mépris.

— Votre problème ? Vous ne parlez pas ?

J'ai hoché la tête, affirmative.

— Depuis quand ?

Les enfants ont alors pris ma parole.

— Dix jours, a commencé Antoine.

— Elle a eu un choc, a poursuivi Marion, froissée.

Zéro empathie. Pas même un sourire feint, ne serait-ce que pour sauver les apparences. Elle s'est étonnée que je me sois présentée si tard. Après avoir tenté de me faire dire « ah, oh », elle m'a annoncé qu'elle ne pouvait malheureusement rien faire pour moi. J'étais soulagée. Pour l'instant, elle ne savait pas à qui me référer, on m'appellerait. Elle a voulu savoir si j'avalais des antidépresseurs.

En présence de mes enfants, même majeurs, je n'ai pas avoué. Je n'ai pas écrit sur l'immense tablette de papier qu'ils m'ont achetée le joyeux cocktail que je consomme la nuit pour tomber, ni celui que j'avale chaque matin pour remonter à la surface.

Devant leur impuissance à pouvoir m'aider réellement, plusieurs amis, charitables, m'ont donné ce qu'ils avaient sous la main pour vaincre leur insomnie, leurs tourments. Mon sac est une pharmacie complète de ce qu'ils consomment pour apprécier leur vie à mille lieues de celle dont ils rêvaient. Grâce à cette collecte tout près de la pêche miraculeuse, je me suis créé une ordonnance sur mesure. Une recette qui me dérègle complètement. Ma chimie est dans tous ses états.

◆

Je me revois, début octobre. J'entame une journée d'automne comme je les aime. Le ciel d'un bleu qui n'appartient qu'à cette période de l'année. J'entends les éclats des gens qui profitent de la clémence du climat en sachant qu'il n'y en a plus pour très longtemps. J'ouvre les fenêtres, je respire.

Il est tôt le matin. Le téléphone sonne. Un numéro que je ne reconnais pas sur l'afficheur. Je m'abstiens. Je ne parle pas aux étrangers. Je déteste les conversations à distance, les répondeurs, les sondages et les harceleurs. Ceux qui menacent, en feignant la politesse, d'interrompre votre service de cellulaire; de couper l'électricité en plein hiver et qui n'en ont rien à foutre que vous ayez deux jeunes enfants à la maison. Eux, je les méprise. J'ai déjà connu la froideur d'un appartement et des nuits à trois, dans le même lit, pour un peu de chaleur. Malgré mes efforts, je demeure profondément sauvage. Le téléphone demeure un intrus et, à l'occasion, une menace. On rappelle une autre fois, on laisse sonner longuement, assez pour que je cède. Il y a là un acharnement inquiétant. Pourtant, j'honore sagement tous mes comptes. Je ne dois rien à personne.

Je décroche. La voix est écorchée. La sœur de l'homme que j'aime m'annonce, sans mise en garde, qu'on vient de le retrouver pendu chez lui. Dehors, la vie continue. Le ciel est toujours bleu et je tente simplement de comprendre. J'ai besoin qu'elle me le redise. Ce qu'elle fait. En criant.

— Viens vite ! Laurent s'est pendu cette nuit !

J'ai entendu. Trop bien compris surtout. Et non. Je n'irai pas vite. Il est mort. Je n'irai pas. Il vient de me quitter. Le temps, mon souffle s'arrêtent.

— Tu es là ?

Je ne sais plus. En partie seulement. Je voudrais m'en aller d'ici et de partout. Je rêve de me liquéfier, de m'étendre sur le plancher et de disparaître dans chacune de ses entailles. Mais je suis là. Incapable de parler. Je tente de faire sortir la douleur, rien. J'ouvre la bouche. Je dois crier. Un silence glacial. Inhumain. Je raccroche sans un mot. Sans un pleur. Et pour ne pas mourir d'un cœur qui éclate, j'appelle les urgences.

Je ne peux rien expliquer à la répartitrice, qui reste calme au bout du fil. Elle me répète, comme un mantra, de respirer doucement. Mais, en ce moment, j'étouffe. À des kilomètres d'ici, dans un centre où s'entremêlent les conversations téléphoniques, une femme, qui ne sait rien de la situation, me soutient. Étrangement, elle trouve les bons mots. On viendra m'aider dans quelques instants. Elle insiste.

— Soufflez doucement. Ça ira. Dirigez-vous vers la porte. Vous ne serez plus seule.

Je m'accroche à sa voix. Elle me maintient hors de l'eau. Des minutes plus tard, je suis toujours là, téléphone à la main, avec une inconnue qui m'attache à la vie. Je voudrais la remercier. D'autres le feront pour moi. Et voilà que quatre pompiers, alourdis par leur équipement, casques sur la tête, débarquent dans mon appartement. Les sirènes hurlent à ma place. Des relents de fumées lointaines arrivent jusqu'à moi. Tous mes sens ne sont pas morts. Ma parole, oui. Je n'arrive plus à parler. Visiblement, je les trouble. Je doute que mon cas figure dans les situations d'urgence qu'ils ont étudiées. Ils sont entassés dans l'entrée, trop grands, gauches et impuissants.

Le plus vieux d'entre eux saisit ma détresse. Pendant que ses collègues font le tour de la pièce pour vérifier s'il n'y a pas de feu, par obligation ou pour se donner une certaine contenance, il m'enlace. Son étreinte est inconfortable. Ses vêtements ne sont pas faits pour accueillir une femme affligée. Et, comme un père que l'on veut croire, il me promet que tout ira bien. Il n'imagine pas si mal dire.

Rien ne va bien. Rien n'ira bien. Qu'est-ce que je n'ai pas vu? Qu'est-ce que j'ai fait?

◆

Le choc est brutal. Je voudrais expliquer à mon pompier désarmé qu'il y a moins de douze heures, mon amoureux et moi étions l'un contre l'autre, près d'un feu. La partie encore consciente de ma pensée y voit une ironie. Je voudrais lui dire aussi que, depuis sept mois, je vis l'une de ces histoires qu'on jalouse. Que je tais ma chance tant elle est grande et inespérée. Qu'après des années d'égarements, de déceptions, de trahisons, j'ai, j'avais à mes côtés un être qui ne rêvait que de me voir sourire. Que jamais on ne m'a regardée avec une telle émotion dans les yeux. Que je me sens belle, très belle, même cernée et décoiffée le matin. Si j'avais pu parler, je lui aurais demandé, exaltée :

— Y avez-vous déjà goûté?

Ce bonheur, le mien, je le caressais, je le protégeais, je le bénissais. Depuis que Laurent était dans ma vie, il n'y avait pas un matin où je ne remerciais pas le ciel. Moi, l'athée. Celle qui n'a pas fait baptiser ses enfants au désarroi de ses parents. Celle qui n'a pas de religion, de Dieu, de foi s'éveillait, s'étirait en levant les bras pour rendre grâce. Depuis Laurent, je savais qu'il y avait quelqu'un, un aïeul, une étoile qui veillait sur moi. Qu'on avait fait campagne pour ma cause. D'une voix forte et claire, parmi tous ceux qui revendiquent le droit pour un proche d'être heureux sur terre, on m'avait élue. Et chaque matin, j'en prenais la mesure. Avec Laurent, j'avais retrouvé ce qu'il y a de plus précieux : ce que j'étais.

CHAPITRE 4

Ne m'offrez plus de lys à mon anniversaire ni en toute autre
circonstance. Il y a trop de fleurs ici qui iront s'éteindre,
seules et dans l'oubli, parmi les morts. Il flottait dans le
salon funéraire un parfum si lourd. Pire, les invités chucho-
taient comme s'ils craignaient de réveiller le défunt. Inutile
de murmurer. On pouvait parler de Laurent, de son départ
qui avait été un choc pour ses proches, d'un ton normal.
Il ne nous entendait plus. Il s'était suicidé. Par contre, ça,
on devait le taire. Le mot, comme un éclat de voix ou
un rire, aurait jeté un froid dans cette salle qui manquait
cruellement de chaleur. «Il s'est enlevé la vie, il a décidé
d'en finir» passe déjà mieux. «Il est parti» fait l'unanimité.
Alors je me suis résignée. Mon amoureux était parti.

Au salon, puis à la cérémonie d'adieu, j'étais une veuve illégitime. Aux yeux des autres, après seulement sept mois de relation, il n'y avait rien à revendiquer. Un peu en retrait, je m'ancrais aux mains d'Antoine et de Marion de peur de tomber. Le plancher ne glissait plus sous mes pieds, il faisait carrément des vagues. Je titubais.

À travers le brouillard et les conversations étouffées, j'ai compris que je ne savais rien de Laurent. J'étais entourée de visages inconnus. Tant de gens qui l'avaient côtoyé, apprécié ou aimé et que je ne connaîtrais jamais. J'étais la nouvelle amante de l'homme qui était là, caché dans un cercueil de noyer. Son père, sa mère et ses deux sœurs occupaient tout l'espace. J'étais l'étrangère de cette famille que je n'avais rencontrée qu'à deux occasions prodigieusement ennuyeuses.

Mes proches me soutenaient, m'embrassaient et me parlaient sans attendre de réponse. Ils ont pleuré sur ma tristesse bien plus que sur le départ de Laurent. Rares étaient ceux qui l'avaient rencontré. Je n'ai pas eu à faire de présentations. Ils le voyaient pour la toute première fois, tandis que des photos de lui, souriant, défilaient sur une toile blanche.

Il y avait aussi ces trois femmes que j'avais repérées malgré le voile qui se dressait entre le reste du monde et moi. Trois femmes qui avaient été ses maîtresses, ses amoureuses, ses confidentes. Nous sommes dotées d'un terrible sixième sens. Ce n'était qu'un constat. J'avais su les sentir, les deviner, les reconnaître. C'était épidermique. Et brutal. Au-delà de mes forces. Il fallait que je parte. Inutile de prendre une longue inspiration. Elle serait trop parfumée. Je me suis évadée.

*Ce n'était ni le moment ni le lieu pour la jalousie. Elle décida de ne pas céder à l'envie. De survoler plutôt la pièce pour échapper à ses pensées. C'est ainsi qu'elle surprit l'impatience de deux anciens collègues du défunt, téléphone à la main. Un autre regardait sa montre. Leur groupe était opaque. Leur temps était compté. Ils avaient assez donné au pendu. Elle évita de regarder le cercueil et les fleurs. Elle apprécia de loin la présence de ses amies. Puis, sans même l'avoir choisi, elle revint aux trois femmes, pleines de chagrin, mouchoirs à la main, qu'elle ne connaissait pas. Elle leur en voulait. Elle aurait aimé revendiquer, seule, l'étendue de sa peine.*

L'évasion était inutile. Elle n'enlèverait rien à mes tourments. Je me demandais si Laurent les avait passionnément aimées. Ces femmes. Si chacune avait un lit, une table faite de ses mains. Laquelle faisait le mieux l'amour? La grande et mince, la rousse tachetée et discrète ou celle qui est venue à moi? Petite, cheveux très courts, jolie, sortie tout droit d'un film français. Ses yeux étaient rougis par les pleurs. Aimait-elle encore Laurent? Elle m'a tendu la main, fermement, en me disant:

— Bonjour, je suis Chloé. Mes condoléances.

Je n'ai pas répondu. J'ai souri tristement. De toute évidence, le message avait été bien reçu: l'endeuillée ne parlait plus. Le choc avait été si grand. Elle ne resterait pas pour la cérémonie. Elle avait besoin de repos. Les enfants étaient solides. Ils prenaient la mesure de ce que mon désespoir leur réservait. La maison ouverte où l'on aimait se retrouver, où il y avait toujours à manger ne serait plus la même. Ils savaient déjà que j'en fermerais les rideaux, que les placards seraient dégarnis et que je ferais taire la musique. Même s'ils avaient quitté l'appartement, ils saisissaient que, pour l'instant, j'avais besoin d'eux. Jour après jour. Nuit après nuit.

Pendant qu'un collègue de travail faisait sourire l'assistance en relatant la gentillesse légendaire de Laurent, je ne pensais qu'à Marion et à Antoine.

Dans un formidable effet domino, Laurent venait d'emporter la paix enfin retrouvée de la femme qui l'aimait passionnément. Et celle de sa tribu. Pour la première fois depuis son décès, je lui en ai voulu. On ne touche pas à ceux que j'ai portés. Même muette, même en pleine dérive, entraînée par le courant, je conservais mes instincts. Ils n'étaient plus maternels, ils étaient ceux de la louve qui veille sur son clan. Si seulement j'avais pu hurler.

J'aurais voulu écrire à Antoine et à Marion de partir, d'aller vivre leurs vingt ans sans moi, que tout irait bien. Mais je ne m'en sortirais pas sans eux. J'aurais eu besoin des mots réconfortants de Laurent. Il les trouvait, en toutes circonstances. Je l'entendais me dire que j'étais une mère dévouée et unique. Que c'était une solution temporaire, un juste retour d'ascenseur de la part des enfants. En caressant ma joue, il aurait ajouté que, bientôt, tout irait mieux. À son ton, à son regard pénétrant, je l'aurais cru. Mais depuis qu'il a tiré sa révérence, c'est le silence total. Pour lui et pour moi.

Avant de quitter la cérémonie et de laisser la famille de Laurent aux derniers adieux, je me suis penchée vers son cercueil. J'ai embrassé le bois lustré à la hauteur de ce que je devinais être sa bouche. En silence, je lui ai dit : «Sois heureux. Je t'aime.» Je le pensais vraiment. Et je n'ai pu m'empêcher d'ajouter : «Tu aurais dû me parler. Prends soin de moi, s'il te plaît.»

J'ai vogué vers la sortie, soutenue par deux adultes trop jeunes. François, le père des enfants, nous attendait. Il m'a menée jusqu'à la voiture et, lorsque j'ai gémi, il a trouvé les gestes. Ceux-là mêmes qui m'avaient fait craquer à dix-huit ans. Il avait ce ton, cette façon de répéter lentement «doux, doux» qui nous faisaient croire que tout irait bien. Demain.

Je n'entretenais plus de contacts avec lui. Nous nous croisions une fois par année tout au plus. Il possédait pourtant cette intelligence de la présence. Il savait deviner les rares instants où j'avais besoin de lui. Comme il me l'avait promis à notre séparation, il répondait à chacun des rendez-vous marquants. Discrètement, avec générosité.

— Tu m'as donné ce que j'ai de plus précieux. Quoi qu'il arrive, je serai là pour toi.

C'est ce qu'il m'avait juré sur le pas de la porte tandis que Marion et Antoine dormaient. Depuis treize ans, il respectait sa promesse. Ce jour-là encore, j'en avais la preuve.

À l'appartement, c'est lui qui m'a couchée. Et il ne m'a laissée qu'une fois endormie. Il n'avait pas perdu l'habitude, ni la douceur de sa voix.

# CHAPITRE 5

Avant de prendre la voiture, j'ai laissé une note sur la table, consciente qu'elle inquiéterait les miens. C'était deux jours après la cérémonie. J'avais décidé de partir seule vers la maison où je ne dormirais plus. Je n'étais pas en état de conduire. D'ailleurs, mes enfants avaient sagement caché la clé de la voiture. La veille, dans un rare moment de solitude, je l'avais cherchée dans tout l'appartement. Je devais faire vite, mon comité de surveillance allait revenir bientôt. J'ai ouvert les tiroirs, soulevé les matelas, retourné les coussins. J'ai secoué les chaudrons, inspecté les bibliothèques et même les plantes ; mes fouilles étaient vaines.

Avant d'abandonner mes recherches, j'ai pris le temps de réfléchir. Si j'avais eu à dissimuler un objet précieux, où l'aurais-je caché ? Et soudain, à travers la tempête, mes pensées se sont éclaircies. Plus d'une fois dans ma vie, j'avais perdu le contrôle de mes finances. Je soignais mes déceptions à coups de nouvelles robes et de chaussures hors de prix. Et lorsque j'étouffais sous les dettes, j'appliquais la méthode de la sagesse obligée. Je déposais mes cartes de crédit dans un contenant rempli d'eau que je rangeais ensuite au congélateur. Ce truc que j'avais lu dans un magazine m'avait fait sourire. Je n'y croyais pas. Il était pourtant accompagné des témoignages de deux lectrices qui avaient, grâce à lui, assaini leurs finances. Ainsi, les cartes de toutes les envies, emprisonnées dans un bloc de glace, devenaient inaccessibles. Cette méthode peu orthodoxe m'avait sauvée de plusieurs dépenses folles et inutiles. Je choisissais alors d'autres voies pour calmer mon chagrin.

En ouvrant le congélateur, j'ai vu qu'elle y était, pas même dissimulée. Une clé glacée. J'ai laissé couler l'eau bien chaude sur le bloc froid. Je devais être prudente sur la route. J'avais évité les comprimés sur lesquels je me précipitais chaque matin, dès les premières lueurs. J'étais sobre. J'avais fait mes adieux à Laurent. Il m'était essentiel de saluer une dernière fois cette maison où je m'étais sentie à l'abri de mes peurs et des dangers.

En roulant, j'ai prêté attention au trajet et à mes mains. Il fallait que j'évite le bal des souvenirs. Des photos que je n'avais jamais prises me revenaient à l'esprit. Je payais pour mon habitude à répéter, en tous lieux, en toutes circonstances heureuses :

— Prenez des photos dans votre tête !

Alors qu'ils étaient tout jeunes, j'avais appris la technique aux enfants. On ferme un peu la main et on regarde à travers le cercle qui s'y forme l'image dont on veut se souvenir.

— Après, tu fais « clic » et elle reste à jamais dans ta mémoire.

Au fil des ans, nous nous étions bâti un magnifique album imaginaire. J'en avais fait un, tout spécial, avec Laurent. Notre première baignade, nus, dans la rivière glacée. Un matin où de le voir dormir si paisiblement m'avait émue. Il s'y trouvait plusieurs photos du cerisier dont il m'avait fait la surprise. Nous avions célébré la première pelletée de terre. Ensuite, il l'avait planté, juste pour moi. Nous allions le voir grandir et fleurir ensemble.

D'autres images témoignaient d'une soirée délicieuse où Milou, Clara et Annabelle étaient venues goûter l'été à la campagne. Elles étaient sous le charme de mon homme et soulagées de me voir en de si bonnes mains. Sur l'un de ces clichés, je revois les amies entourant Laurent, et Milou qui ne peut s'empêcher de faire le V de la victoire. Comme moi, elles me croyaient désormais à l'abri des tempêtes.

Alors, pour chasser ces photos irréelles, je regardais fixement la route. Je me concentrais sur la position de mes mains sur le volant. « Deux heures moins dix, deux heures moins dix... », répétais-je. Et dès qu'une d'elles désobéissait, oubliant la règle, je la posais sagement là où l'on m'avait appris. Une main en haut à droite, l'autre à gauche, à la même hauteur. Cette façon de faire qu'on m'avait enseignée il y a plus de vingt ans lors de mes cours de conduite servait encore. J'étais jeune, le ventre rond comme la lune. Les parents de François nous avaient donné une toute petite voiture. Ils s'inquiétaient de nous voir, futurs parents, incapables de nous déplacer seuls. Puis, à la naissance de Marion, il était hors de question de mettre sa sécurité entre les mains de chauffeurs inconscients. Une fois encore, nous avions fait les choses à contre-courant. Un enfant avant la stabilité, sur un coup de cœur. Une voiture avant de savoir manier le volant et les vitesses.

Mon professeur de conduite, un Libanais, s'installait à mes côtés.

— Mes deux élèves vont bien ? demandait-il d'un ton enjoué.

Une fois sur la route, ignorant le prodigieux appétit d'une femme enceinte, il déballait un lunch dont les odeurs emplissaient tout l'espace. Entre deux bouchées, il me lançait :

— On continue ! Vous êtes une championne !

Je savais qu'il me mentait. J'aurais préféré prendre son siège, avaler ses sandwichs dégoulinants. Mais je m'encourageais. Un enfant dans le ventre, je me sentais invincible.

— Je suis une championne. Marion, ta mère est une formidable pilote !

En général, sur ces envolées confiantes, un étouffement du moteur me ramenait à la réalité, narguant l'as du volant que je ne deviendrais jamais.

Vingt ans plus tard, j'entendais l'accent de mon professeur et ses consignes. Ils allaient me mener, en toute sûreté, aux arbres, aux champs, à la jolie rue principale du village de Laurent. Un village qui était devenu un peu le mien, l'espace d'un été.

C'était sans doute ma dernière occasion de parcourir ce trajet. En arrivant près de la rivière, j'ai vu qu'elle coulait encore, malgré le départ de Laurent. Qu'elle ne s'était pas, comme moi, complètement asséchée.

La maison était étrangement silencieuse. Pour la première fois, j'ai remarqué que les planchers de bois craquaient. Je regrettais d'y être venue seule, sans aviser qui que ce soit. Comme si les minutes étaient comptées, j'ai ramassé mes vêtements et mon appareil photo. Puis, j'ai cueilli dans le bac de linge sale deux foulards de Laurent. Il les portait jour après jour. Selon les saisons, ils épongeaient sa sueur ou lui protégeaient le cou. Des gens compatissants m'ont raconté que la voix du disparu nous manque terriblement avec le temps. Moi, je goûtais trop l'odeur de mon amant pour m'en passer. J'adorais plonger ma tête contre son épaule et inspirer profondément son parfum, sa peau.

Puis, avant de déserter, je me suis dirigée vers sa bibliothèque. J'ai emporté le guide d'un voyage que nous ne ferions jamais et un recueil usé de Victor Hugo. Avec ce livre, il m'avait séduite. À ma première visite dans son atelier, il m'en avait récité, de mémoire, un extrait. Il me livrait son amour des arbres.

« Quand je suis parmi vous, arbres de ces grands bois,

Dans tout ce qui m'entoure et me cache à la fois,

Dans votre solitude où je rentre en moi-même,

Je sens quelqu'un de grand qui m'écoute et qui m'aime ! »

Du Victor Hugo. Récité sans prétention, avec une pointe de dérision. J'avais devant moi un être singulier. Sensible et bon. Je n'avais pas mesuré la tristesse de ces vers. En sortant de la maison, j'ai pensé que les enfants devraient appeler l'une des sœurs de Laurent. Le frigo était rempli et, sur le comptoir, la vie reprenait le dessus : les mouches à fruits se multipliaient.

Je ne regarde jamais derrière moi. En toutes circonstances. Celle-ci ne ferait pas exception. J'ai franchi le seuil de cette maison où j'avais touché le bonheur et j'ai glissé la clé sous le paillasson. La demeure pouvait brûler, exploser, s'effondrer, plus rien ne m'y liait. J'avais deux foulards. Ça me suffisait.

J'ai finalement marché vers la rivière. La voir et l'entendre une dernière fois. J'ai même résisté à son appel. Il aurait été si facile d'y avancer lentement. Les chevilles, les mollets et les cuisses. Quelques foulées de plus, tout près des remous, et j'aurais eu de l'eau jusqu'à la poitrine. Puis, un faux pas, une pierre lisse, et j'aurais été emportée, loin de ma peine. Mais l'eau était froide. Et, surtout, il y avait les enfants qui m'attendaient à la maison. Qui devaient s'inquiéter, avec raison. J'ai remis mes chaussures. J'ai évité du regard l'atelier. Je me serais effondrée. Ce matin-là, je m'explique mal pourquoi, je n'ai pas cherché la lettre.

CHAPITRE 6

Le bonhomme pendu devrait rester un jeu. Rien de plus. En traversant la salle d'attente, j'ai croisé une fillette, une feuille à la main. Elle était là depuis longtemps. Pour passer les heures, sa mère avait déployé tous ses efforts d'imagination, de mémoire aussi, en revisitant les jeux de son enfance. Elle affichait une patience que je n'avais jamais eue. Toutes les deux en étaient rendues au bonhomme pendu. Sur une page, déjà, la potence avait été dessinée. Instable et maladroite. Au bout de la corde, une première lettre ayant fait défaut, une tête était apparue. Puis, un cou. Et un bras. Le pendu n'avait pas totalement rendu l'âme. Je n'ai pu m'empêcher d'y jeter un autre regard. Le condamné affichait un immense sourire, gracieuseté d'une petite qui ignorait la souffrance des derniers instants.

À trois nous étions venus à l'urgence, à trois nous en étions repartis, frustrés de cette rencontre avec le médecin qui ne s'aimait pas. Notre rendez-vous avait frôlé l'échec. En écrivant lentement, j'avais promis aux enfants de tout faire pour retrouver la parole. Qu'ils me laissent simplement le temps d'absorber le choc, la profondeur de l'abîme.

Signe de ma bonne volonté : j'avais réduit la consommation de mes cocktails chimiques. Après deux semaines de deuil, j'avais repris mes promenades quotidiennes. Je m'épuisais en kilomètres et j'évitais de me frapper la tête contre les arbres que je croisais. Je résistais à l'envie de traverser la rue sans regarder ou de m'étendre sur un rail. J'essayais de taire, dans un bruit blanc, ces deux questions qui m'habitaient.

Qu'est-ce que je n'ai pas vu ?

Qu'est-ce que j'ai fait ?

Certains amoureux s'en vont sans laisser d'adresse. Le mien est parti et il n'a pas laissé de lettre. Rien. Qu'une note, signe de sa délicatesse, sur la porte de son atelier. « S'il vous plaît, n'entrez pas. Je me suis pendu. »

C'est le facteur qui a recueilli ses derniers écrits. Six jours plus tard, quand je suis allée chercher ses foulards et les deux livres, j'ai aussi fait le tour de la maison. Je n'ai rien trouvé. La lettre n'est jamais arrivée. Même par la poste.

À partir de ce moment, j'ai dû me résigner à ce silence brutal. Je navigue toujours entre le désespoir et l'envie de disparaître, mais il me vient parfois des explosions de rage. Qui me brûlent les joues. Qui me font ravaler une colère doublement muette. Qui me donnent envie de faire voler en éclats, à grands coups de hache, la table de la cuisine. Cette fureur me sauvera.

À quel moment avait-il commencé son jeu ? À quel instant avait-il eu envie de mettre fin à ses jours tout en me parlant de mers et d'horizons lointains ?

Je me sentais trahie et, du même coup, mon chagrin se diluait. Une violence sourde me donnait, l'espace de quelques heures, la force de m'habiller. Elle seule m'amenait à me coiffer et à me maquiller. J'arrivais à être présentable avant de franchir la porte de cet appartement que nous étions trois à habiter maintenant. Antoine et Marion étaient solidaires de ma peine. Même s'ils ne connaissaient rien de mon homme disparu, je les savais secoués. Pour eux, le souvenir de Laurent se résumait à une seule rencontre, autour d'un repas pour célébrer la nouvelle table que mon amoureux m'avait fabriquée de ses mains. Leur verdict : j'agissais comme une adolescente. Nous étions pathétiquement amoureux.

Ce souper que nous avons partagé a été simple et joyeux. Les premières présentations où chacun veut bien marquer son territoire sont souvent délicates. On évalue, on soupèse la place occupée dans le cœur de la mère ou de l'amoureuse. Et on ne veut décevoir personne : ni nos enfants, ni notre nouvel amour, si rare. On rêve que tout soit parfait, que chacun soit à la hauteur et, finalement, la pression est inutile. Tout a bien été. Nous avons rendu hommage à cette table que Laurent avait cachée jusqu'à ce qu'elle soit terminée. Les dernières semaines, il passait des heures dans son atelier. C'était son refuge, l'espace qui lui appartenait. Je ne sentais pas le besoin de m'y trouver, encore moins de m'y imposer. Puis, un samedi soir, il m'a demandé de fermer les yeux. Il m'y a conduite, je lui tenais fermement la main. En m'y rendant, aveugle, j'ai entendu les bruits de la rivière, de son eau qui ne dormait jamais, de nos pas, des feuilles aux arbres prendre de l'ampleur. Lorsqu'il a enlevé sa main, qui était complètement appuyée sur mes yeux, j'ai étouffé un cri. De joie, d'étonnement, de plaisir.

Il y avait là une longue table rectangulaire, illuminée par deux immenses chandeliers, deux couverts joliment dressés et, pour compléter le tableau, un immense bouquet de fleurs au centre. De chaque côté de la table, deux bancs où l'on pourrait s'entasser, discuter, fêter. La scène était belle, réussie, touchante. L'homme qui me caressait possédait des mains aussi habiles que celles des orfèvres.

◆

Avec le temps, j'ai voulu en avoir le cœur net. Pas de lettre ni de mot d'adieu. J'étais sans voix et j'avais besoin de la sienne. Je ne réclamais que quelques lignes. Un bout de papier que j'aurais préservé. Une feuille froissée sur laquelle je me serais recueillie chaque matin. Je l'aurais mise dans un écrin. J'en aurais fait des reproductions au cas où je la perdrais.

Je ne cherchais plus d'explication. Je rêvais d'un dernier contact avec lui. Et qu'il me dise «je t'aime», avec le point d'exclamation qu'il ajoutait toujours lorsqu'il m'écrivait. Un point qui m'avait fait croire à la force, à la joie et à la surprise qui accompagnaient son attachement.

Et même si je m'étais juré de ne plus jamais remettre les pieds dans cette maison bénie puis maudite, j'y suis retournée.

Laurent était absent depuis trois semaines. Et sur le chemin, je ne pensais plus à mes mains, docilement placées sur le volant. J'écrivais, pour lui, à sa place, la lettre d'adieu qu'il aurait dû me laisser.

«Mon amour, tu n'y es pour rien. Pardonne-moi.»

Quelques mots m'auraient suffi. J'aurais trouvé la paix, en partie, car cette histoire de pendaison prenait de plus en plus d'espace.

Au début, je me suis refusée à imaginer Laurent, les pieds ballants au bout d'une corde. Cet homme n'avait rien à voir avec celui que je désirais épouser. Mais depuis des nuits, c'était plus fort que moi. Je me demandais si son visage, si beau, si bon, avait eu le temps de changer de couleur. Est-ce qu'on devenait plus rouge ou légèrement bleu ? Est-ce que tout le corps se gonflait ? Affichait-on une grimace ? Ces questions, je les voulais sans réponse. Pourtant, même les yeux fermés, dans l'obscurité, des images naissaient. Je faisais tout pour les chasser. Je n'y échappais pas. Laurent revenait, défiguré, en tenant d'une main sa corde autour du cou, comme pour s'en libérer.

Avait-il, un instant, regretté son geste ? Et sa dernière pensée, avait-elle été pour moi ?

◆

En approchant, j'ai senti mon cœur sur le point d'exploser. La maison était saisissante sous les éclats de cet automne avancé. Couronnée du jaune, de l'orange et du rouge des feuilles encore accrochées aux arbres, elle était entourée d'un tapis brûlant recouvrant le terrain tout entier. Elle affichait quelque chose d'irréel. L'atelier aussi ressemblait à une toile, à une illustration. J'ai eu le courage de le contempler et, dans ce débordement de lumière, on ne pouvait soupçonner le drame qui s'y était produit.

J'ai hésité avant de couper le contact. Le moteur qui tournait m'apaisait. Je revenais sur mes pas et je doutais. Je manquais de courage ou j'en faisais la preuve ? Je devais me calmer. J'ai résisté à la tentation, devenue une habitude, de me frapper la tête, cette fois contre le volant. J'ai retenu mon envie de mettre tout le poids de ma peine sur l'accélérateur. J'irais rejoindre Laurent en fonçant, sans détour, à grande vitesse, sur un arbre qui resterait droit, solide contre ma détresse. À la troisième respiration profonde, j'ai trouvé la force. Mes pas craquaient sur les feuilles mortes. La clé de la maison était là où je l'avais laissée. Avec le sentiment d'être une voleuse, je suis entrée dans cette cachette où j'avais pourtant juré de ne plus revenir. Au premier regard, le choc a été grand. Dans le séjour, on ne voyait qu'un trou béant. Le vaste écran plasma que Laurent s'était acheté, excité comme un enfant, avait disparu. La toile d'un artiste qu'il avait déjà dépanné avait été décrochée, pour ne laisser qu'une empreinte d'une tristesse infinie sur le mur gris pâle. Les loups étaient passés. Ils s'étaient servis, sans scrupules.

Dans la cuisine, la machine à café que Laurent frottait chaque matin avec un soin presque maniaque criait par son absence. J'ai maudit sa famille. Autour de cette cafetière, nous avions bâti une de nos plus belles routines. Tous les deux nous aimions les matins. Et c'est grâce à elle que nous partagions l'un de nos premiers gestes. La préparation des cafés que nous buvions sur la causeuse donnant sur la rivière était comme une cérémonie. J'ai connu Laurent à la fin de l'hiver et c'est tout près de lui que j'ai assisté à l'arrivée du printemps. La neige qui s'efface. Les bourgeons qui se gonflent. Et, surtout, le vert tendre qui apparaît pour rendre plus doux même les jours de pluie.

C'est souvent en déposant le café que nous faisions l'amour. Le sexe du matin est fait de douceur, de promesses d'avenir, de paroles et de projets. Il n'a rien à voir avec celui du soir, parfois trop fardé, poudré ou éthylique. Le sexe du matin me semble pur. Celui du soir m'a causé tant de problèmes. Avec Laurent, nous le terminions par une baignade rapide dans la rivière. Nous en ressortions plus vivants et amoureux.

Le bilan des disparitions s'élevait de pièce en pièce. Le vol était indigne. Sans respect. J'ignorais à qui appartenait la maison en ce moment. Qui avait le droit de s'y trouver légalement. Je n'étais que de passage en mission : trouver la lettre d'adieu. Mes recherches n'avaient rien de frénétique. Le temps était suspendu. Je cherchais, en inspirant péniblement chaque espace. Le silence m'étouffait. Il n'avait rien de rassurant. Seules les plaintes du plancher de bois venaient le briser. Et, à l'occasion, le vent qui soufflait contre les fenêtres.

Dans sa chambre, j'ai défait le lit, plongé la tête dans les oreillers, ouvert les tiroirs des tables de chevet. Pas de lettre et tant d'objets. Et ces vêtements comme des reliques que mon amoureux avait portés. Des tissus qui avaient touché sa peau. J'ai eu envie de prendre la veste qui sentait la fumée. Je m'en suis privée. C'est le parfum de Laurent que je cherchais, pas celui de cet après-midi où il avait brûlé les branches des bouleaux et des érables tombées dans son sous-bois. J'aimais cet homme fort, solide et doux qui m'entraînait loin de la ville. De sa rumeur.

Avec lui, je me serais perdue en forêt et je n'aurais pas eu peur. Les bêtes auraient pu crier, les arbres se lamenter, je n'aurais eu aucune crainte. Il me rassurait, m'apaisait. Maintenant, la maison endormie, le parquet gémissant et l'absence des mots que j'espérais tant me pesaient. Je me suis glissée, indiscrète, dans son bureau et dans la chambre d'amis que j'avais toujours ignorés. J'ai ouvert un placard. Immense et bien rangé. Il y avait des vestons de qualité, des chaussures alignées avec un soin méthodique, des cravates roulées dans des caissons conçus spécialement pour les recevoir. J'y trouvais là des empreintes de l'homme que j'avais si mal connu.

J'allais repartir les mains vides lorsque j'ai aperçu, sur le comptoir, son carnet noir. Ce genre de calepin qui n'a pas changé depuis un siècle. Ma grand-mère en possédait un, semblable et fatigué. Surtout précieux. Dès son enfance, elle y avait griffonné les dates qui marquaient son parcours. Sa première communion, la naissance d'une petite sœur, le décès d'une autre, emportée par la tuberculose à neuf ans. De son écriture devenue appliquée, elle avait poursuivi : la rencontre avec ce bel homme qui allait devenir mon grand-père, son jardin élu le plus beau du village, trois années de suite. Il renfermait la chronologie des joies et des tristesses qui jalonnent toute existence. La dernière inscription se résumait à quelques mots : « Mal à la poitrine. Je suis alitée. » Elle avait oublié d'y inscrire le jour. Ce fut ma première cicatrice. Une entaille dans mon écorce encore jeune.

Laurent se servait de ce modeste livret pour y inscrire les numéros de téléphone de ses proches. Ma visite n'aurait pas été vaine. Avec un calepin noirci et raturé, je suis rentrée chez moi. Sans voix, sans lettre non plus. J'ai conservé la clé.

## CHAPITRE 7

Je prenais rendez-vous avec mon miroir. Chaque matin, avant l'exercice, je me maquillais un peu. Mes yeux cernés, bouffis, chagrinés. Mon nez usé d'être trop mouché. Mes lèvres fendillées à force d'être mordues. Autrement, je n'aurais pas su faire face à mon image. Une fois présentable, j'ouvrais la bouche. Très grande pour le *a*, poussée vers l'avant pour le *o*, souriante pour le *i*. Rien ne venait. Directement à la hauteur du cœur, tout bloquait. Il y avait plus de quatre semaines que je ne parlais pas.

Je prenais conscience de toutes ces expressions pleines de sens. « Ravaler sa peine », celle qui nous reste prise en pleine gorge. « Être sans mots », on les possède, mais on ne parvient plus à les prononcer. Et, bien sûr, le fréquent « être muet d'émotion », qui se prête parfaitement à une grande joie, un bonheur inattendu. Du genre : « En recevant sa demande en mariage, Joséphine fut muette d'émotion. »

Oui, l'émotion muette pour les bonnes nouvelles. Pour les mauvaises, on devrait pouvoir hurler d'émotion. Je devais savoir. Et même si je trouvais lourd de ne plus me séparer de mes crayons et de ma tablette de papier, je suis partie avec eux.

Sous une pluie de novembre, j'ai entrepris la tournée des commerces de son village. Sa photo dans une main, même s'il est un visage connu depuis son suicide, et ma tablette dans l'autre. De ma plus belle écriture, j'y avais inscrit : « Est-ce que cet homme a acheté une corde récemment ? »

Ma démarche était désespérée et pleine d'espérance à la fois. C'était plus fort que moi, je devais faire la lumière sur cette histoire. Notre dernière soirée ensemble avait-elle été choisie pour être une nuit d'adieu ? Avait-il encerclé la date à l'encre rouge pour goûter pleinement ses dernières heures ? Je ne savais pourtant rien de la corde. Je ne l'avais pas aperçue. Pas plus que je n'avais vu celui que j'aimais, une fois pendu. Sa famille avait pris les choses en charge. Pour eux, je n'étais que de passage.

Aux yeux des autres, sept mois d'amour sur quarante-trois ans, ça ne justifiait rien. Je me remettrais rapidement de ma souffrance. Pourtant, ma douleur ne se calculait pas en longueur des jours. Elle ne se résumait pas à sept pages de calendrier que l'on arrache. C'était d'une fête que je faisais le deuil. Laurent, en peu de temps, c'est vrai, m'avait redonné ma légèreté et cette envie folle de mordre dans la vie.

Le cœur battant, j'ai donc amorcé mon enquête. Dans son village que j'avais appris à aimer, j'ai repéré deux quincailleries. J'espérais y trouver une·réponse rapide. À la première, toute petite, que je n'avais jamais fréquentée, un homme au visage défait m'a reçue. Après avoir lu mon message en se grattant le bout du nez, par nervosité, j'imagine, il a observé, sans un mot, la photo. Son silence s'est étiré. J'ai constaté qu'il était bon parfois d'être muette. Pas de mots inutiles, pas de tremblements de voix. Un papier à tendre et espérer la suite.

— Je connaissais bien Laurent. C'est triste.

Puis il a ajouté, maladroit :

— C'était quel genre de corde ?

Sincèrement, moi aussi je connaissais bien Laurent, et la corde je m'en balançais. Je n'en savais strictement rien. Je voulais simplement vérifier si je m'étais fait avoir sur toute la ligne. Si j'avais été naïve ou remplie d'une foi qui n'existait pas. Je croyais que mon existence allait changer pour le mieux. À jamais. Et là, je me retrouvais à faire du porte-à-porte absurde pour trouver une réponse. Je suis sortie en saluant cet homme qui n'y était pour rien dans mon malheur. Ma colère faisait fausse route. Une seule visite et j'avais déjà besoin d'air.

Plus loin, sur la rue principale, il y avait un bric-à-brac où l'on vendait des pneus usés, des trophées dorés et des drapeaux poussiéreux. Il faisait sombre et je devinais que le vieil homme qui se penchait sur la photo n'y voyait rien. Dans un français approximatif, il m'a expliqué que, non, il ne vendait pas de cordes.

Malheureusement, je ne pouvais engager de conversation. Le féliciter de ne pas vendre de matériel potentiellement à risque. Quand j'irai mieux, promis, je reviendrai lui dire qu'il a sûrement sauvé deux ou trois âmes dans son patelin. Mais pour l'instant, je ne m'étais pas encore lancée dans de grandes recherches sur la mort. Ou plutôt sur cette mort que l'on décide, que l'on choisit et qui laisse derrière nous un immense chaos. Si je n'avais pas eu besoin de crayon et de papier, j'aurais répandu ma peine. Je l'aurais déversée, laissée couler à pleins torrents. Il m'aurait comprise, j'en avais la certitude. J'aurais ajouté que depuis que Laurent s'était volontairement mis la corde au cou, je fréquentais tous les jours Internet. Que j'y avais fait des recherches. Sur mon mutisme. Sur le silence après un choc. «Avez-vous remarqué que je ne parle pas? C'est depuis qu'on m'a annoncé sa mort. En passant, vous avez un tableau noir et des craies? J'en aurai besoin à ma prochaine visite.» Je suis partie.

J'aurais pu préciser que plus tard, si j'en trouvais le courage, je tenterais de comprendre le suicide des hommes. Ceux qui jurent qu'ils vous protégeront pour la vie et qui disparaissent dans la nuit. Sans lettre. Sans adieux.

◆

L'exercice ne me guérissait pas. J'avais envie de me poser sur un banc. D'y échouer plutôt et de pleurer jusqu'à l'épuisement. En plus d'être muette, j'étais sans larmes. Ma douleur n'arrivait pas à sortir de ma chair. Elle s'y faufilait, s'y installait sans invitation. Sans l'intention de partir bientôt. Il était là, le banc. Tout près de l'église, du parc. Je pourrais m'y asseoir, j'y étais cet été. J'attendais Laurent. Je revenais du marché au village. Sans me presser, j'avais tâté, senti, acheté les fruits et les légumes des maraîchers de la région. Il y avait de l'animation sur la place publique, c'était soir de bal populaire avec des musiciens du coin. On suspendait déjà les lumières, les banderoles. On montait l'estrade. J'observais ce spectacle avec ravissement. Il était plein d'humanité.

Laurent est arrivé avec son camion chargé de bois. Il m'a regardée avec ce sourire qui me chavirait. Chaque fois. Quand je le voyais, il y avait cette petite voix qui me murmurait : « Enfin. » Après des années de faux départs, de détours inutiles, il était là. Ensemble, nous sommes retournés à la maison. Le lit de la rivière nous attendait.

Plus tard, nous nous sommes faits beaux pour aller au bal. Les enfants comme les anciens au dos courbé en avaient fait l'effort. La fête au village méritait le meilleur de ses habitants, d'autant plus qu'elle attirait des gens de partout, curieux ou séduits par l'authenticité de l'événement. Ici, pas de haut-parleurs ni de chanteurs populaires qu'on oubliera dans deux ans. Seulement un petit groupe de musiciens attachants qui demeuraient à l'abri des tendances.

J'avais relevé mes cheveux en un chignon désinvolte, mis une robe à pois et des sandales nouées à la cheville. Pour Laurent, je voulais être la plus belle. Lorsqu'il m'a aperçue, j'ai saisi son émotion. Il m'a serrée, trop fort. Comme jamais. D'une manière soutenue qui m'a inquiétée. Il ne m'enlaçait pas, ne me protégeait plus. J'avais la troublante impression qu'il s'accrochait à moi. Rapidement, j'ai effacé ces pensées de mon esprit. Je me suis concentrée sur mon chignon. Il l'abîmait.

La place brillait. Ceux qui avaient sué toute la journée pour la décorer pouvaient en être fiers. La main de mon amoureux était solidement ancrée dans la mienne. Son moment de faiblesse appartenait au passé. Mon homme veillait sur moi. La musique accompagnait nos conversations et les rires des amis venus nous rejoindre. Chacun racontait son été, ses voyages, la beauté des jardins en cette saison divine. Mon ébéniste et moi avons dansé. Je ne touchais plus le sol. Nous nous sommes regardés et chéris. Le temps était bon. Comme la vie.

— Tu as soif?

En effaçant une goutte sur son front, j'ai répondu que oui. J'avais envie d'eau fraîche, de vin blanc et d'amour.

En souriant, il m'a fait promettre de ne pas accepter de danse. De ne pas parler aux étrangers.

— Je ne bouge pas. Croix de bois, croix de fer. Si je mens, je vais en enfer.

Petite, j'adorais cette déclaration qui m'effrayait un peu. À quoi ressemblait l'enfer ? Mon frère m'avait assuré qu'on y brûlait. Ma mère l'avait disputé. L'accordéoniste et ses musiciens gardaient le rythme. Des couples dépareillés suivaient le pas sur le plancher de danse spécialement installé pour l'occasion. Il y avait un plaisir contagieux. Une vague d'insouciance. Comme si, d'un commun accord, tous avaient laissé leurs différends, leurs soucis à la maison. Je ne me lassais pas de ce tableau, presque naïf. Pourtant, il y avait déjà un bon moment que j'attendais mon cavalier. J'ai brisé mon serment. Je savais que l'enfer n'existait pas. Je suis partie à sa recherche.

Les buvettes temporaires étaient joyeusement occupées, mais pas de trace de Laurent. J'ai fait le tour des kiosques de jeux d'adresse, inutilement. Peut-être était-il revenu sur place ? Qu'il m'attendait, les verres à la main ? J'y suis retournée, en courant un peu, pour ne pas l'inquiéter. Il était absent. Mon cœur s'est serré, anxieux. C'était nouveau pour moi. Perdre l'assurance que tout était parfait. J'ai marché plus loin, près de l'église, et j'ai aperçu une ombre, assise sur les marches. La silhouette avait la tête penchée vers ses genoux, enfouie entre ses bras. C'était lui.

— Mon amour, ça va ?

— Non.

Ce soir-là, il avait eu peur de me perdre. Rien à voir avec la jalousie. Seulement avec cette passion si grande qu'on craint qu'elle ne s'éteigne. Qu'on redoute une fin précoce et imprévisible. Je comprenais ses inquiétudes. J'avais parfois cette impression qu'il y aurait un prix à payer pour tant de bonheur. Je n'ai pas trouvé les mots pour le rassurer. Mais comme pour les guêpes, celles qui meurent aux temps froids, j'aurais dû deviner. Un peu.

◆

En tenant de plus en plus fermement la photo, j'ai poursuivi ma quête jusqu'au magasin de sport que Laurent fréquentait. J'y fondais mes ultimes espoirs. À l'arrière, un jeune homme m'a lancé avec énergie qu'il se rappelait Laurent. Qu'ils avaient parlé voilier ensemble et d'une croisière que nous devions faire. Il s'en souvenait. C'était son anniversaire ce jour-là... Sa voix était enjouée. Mon intuition m'a prévenue.

Je n'avais plus envie – du tout – de connaître la date.

— Je suis né un 9 octobre, comme John Lennon !

Il s'attendait peut-être à ce que je le félicite, que je lui parle de mon amour pour les Beatles, que je fredonne *Love me do* avec lui. Mais non.

Le sol s'est ouvert sous mes pieds. L'équipement sportif de la boutique tanguait. La secousse m'a obligée à m'agripper au comptoir. Pourtant, je me trouvais en terrain sûr. Les plaques tectoniques étaient en paix dans la région. Elles ne se croisaient pas, ne se frappaient pas. Mais j'étais en plein tsunami. Je surfais sur les lames. Je me noyais, j'étouffais.

Je n'arrivais plus à respirer. J'étais prisonnière de cette vague sans pitié qui emportait les comptoirs, les bouées, les vélos de la boutique. J'ai compté : 7, 8, 9. J'ai protégé ma tête, enlevé mon manteau. Si lourd. Il freinait mes mouvements. J'ai tenté, paniquée, de dénouer mon foulard. Il m'étranglait. Et j'ai culbuté encore. Fragile et sans contrôle. 19, 20, 21. J'attendais que Laurent vienne à mon secours. Qu'il me libère. Il était toujours là pour moi. Une autre vague m'a frappée. Je craignais le ressac. Finalement, j'ai entendu des voix. 34, 35, 36. Quelqu'un m'a soulevée. On m'a aspergée d'eau. Je reprenais mon souffle. Enfin. 41, 42, 43.

J'ai ouvert les yeux. Deux têtes étaient penchées vers moi. Le vendeur qui partageait son anniversaire avec le musicien assassiné avait compris. Il avait un regard désolé et presque tendre. Je me suis relevée. Secouée. Malgré un violent bourdonnement, je distinguais une voix. On voulait s'assurer que j'allais bien. D'une main tremblante, j'ai tracé « merci » sur ma tablette. Je voulais partir, mais on m'a retenue.

On m'a offert un banc, de l'eau, un peu de chocolat. Le jeune homme s'est excusé. Par écrit, je lui ai assuré qu'il n'y était pour rien. Je pressentais qu'à l'avenir, il refuserait lui aussi de vendre des cordes.

— Vous habitez loin ? Je pourrais vous reconduire à la maison.

J'ai replongé.

*De la tête, elle fit signe que non. La dernière fois qu'un homme l'avait raccompagnée à la maison, c'était un soir de mars. Elle avait échappé un gant vert, il l'avait ramassé. À cet instant, son destin avait basculé. Pour le mieux. Brièvement. Et par sa faute, aujourd'hui, elle était muette. Et elle se noyait encore. Souvent. Même sur la terre ferme.*

Quand est venu le temps de partir, j'ai noté sur la tablette : « Tout va bien. Désolée pour l'émoi. »

◆

J'ai traversé une autre tempête jusqu'à chez moi. D'étranges sons sortaient de ma bouche. Je me faisais peur.

Notre dernière nuit en était donc une d'adieu. Ses dernières promesses, du vent, des bulles, des mensonges.

L'après-midi du 9 octobre, il était venu acheter sa corde. Quelques heures plus tard, nous partagions un repas. Après mon départ, il s'est pendu.

Laurent était profondément malade ou pervers.

Je le déteste.

Je n'ai aucun souvenir du chemin du retour. Un profond abîme. Il n'avait pas été sage que je conduise.

Une fois à l'abri dans ma chambre, j'ai tout effacé. Un à un, chacun de ses messages sur ma boîte vocale.

Le tout premier, où il me remerciait pour la nuit que nous venions de passer. Lorsque je l'avais reçu, je l'avais écouté une dizaine de fois. Je ne m'en étais jamais lassée. J'ai supprimé tous ceux où il me déclarait à quel point je lui manquais. Et j'ai commis l'irréparable. Dans ma rage, j'ai fait disparaître le tout dernier où, de sa voix grave, il me promettait que nous ferions le plus beau des voyages. Ce message, il me l'a laissé après notre dernier souper. Désormais, de sa voix et de ses mensonges, il ne restait plus rien.

## CHAPITRE 8

Dès les premiers instants, je m'y suis plu. Avec les fenêtres immenses donnant sur la forêt ou sur l'eau, sa maison s'ouvrait sur ce que le monde a de beau. Malgré l'ombre des arbres, la lumière s'invitait dans chacune des pièces. C'est la rivière qui avait séduit Laurent. Après notre premier repas, il m'avait invitée chez lui. C'était un samedi ensoleillé de mars. Rien à voir avec le temps triste des derniers jours. Tôt le matin, j'étais prête. J'avais fait un sac au cas où il m'inviterait à partager son lit. Je serais discrète, pleine de retenue et je le laisserais dans le coffre arrière. Je serais sage et j'attendrais la demande formelle. J'ai patienté jusqu'au milieu de l'après-midi pour prendre le chemin de la campagne. Je voulais éviter l'empressement.

Tandis que les champs encore enneigés défilaient, que le printemps tardait à offrir le moindre espoir, je savais. Je prenais la mesure précise de ce qui m'attendait. J'allais à la rencontre de l'homme de ma vie. Il n'y avait pas de doute. J'affichais une confiance tranquille. Inexplicable. Il la partageait sûrement de son côté, c'est pourquoi il s'était contenté d'un simple baiser avant son départ. Sur le coup, j'étais restée perplexe. Mais après avoir consulté Marion (qui déteste ce genre de confidences, une mère devant s'abstenir, selon elle, de livrer son intimité à sa fille) et les amies, le verdict était tombé. « Il ne se presse pas, il sait qu'il a toute la vie devant lui. » J'y avais cru. Ma foi tenait le coup, mais j'étais remuée.

Je me retrouvais sans âge, sans repères. Je n'avais plus de passé, plus d'expérience. Tout s'était dilué. Je redevenais la petite fille trop timide qui s'enfermait derrière la porte d'une chambre pour se cacher de la visite. J'avais le cœur battant, les joues brûlantes, les mains moites. Je manquais de salive. Pourtant, je n'allais pas à la guerre. Au contraire.

Le village où habitait Laurent était plus élégant, plus cossu que je l'avais imaginé. En tournant sur le chemin de la rivière, comme il était indiqué sur le plan que j'avais pris soin d'imprimer, j'ai aperçu sa maison. Rien de ce que j'avais prévu. En l'entendant parler de son retour à la campagne, de son refuge tout en bois, j'avais cru à une demeure ancestrale. J'imaginais déjà les volets à chaque fenêtre et l'immense galerie travaillée qui en faisait le tour. J'assistais à un tout autre spectacle.

Laurent aimait sûrement les lignes très pures. Sa maison d'inspiration scandinave n'affichait pas le charme flétri que j'avais présumé. Sur un seul étage, avec trois structures distinctes, elle possédait plusieurs fenêtres immenses qui faisaient parfois la longueur de la pièce. Son atelier était tout aussi lumineux, comme une petite boîte en pleine forêt. Visiblement, cet homme avait du goût.

Il m'attendait à la porte, souriant, et m'a enlacée.

— Tu es là, a-t-il dit en respirant mes cheveux.

Comment résister? À l'intérieur, on devinait la signature d'un architecte de talent qui avait su donner beaucoup de chaleur au lieu. De pièce en pièce, en me voyant mal contenir mon enthousiasme, il souriait. Puis, il m'a menée à l'atelier où il passait ses journées. Avec la neige fondante de cet hiver qui refusait de céder sa place, il s'est excusé que ce ne soit pas la plus belle période.

— Attends de voir quand les arbres seront en feuilles, avait-il avancé.

C'était à mon tour de sourire. Il envisageait un avenir pour nous.

Puis, il m'a parlé du bois qu'il aimait sentir, toucher, travailler. Il m'a révélé le plaisir de voir l'objet prendre forme. À l'écouter, il n'y avait pas de matière plus noble. Il n'existait pas de plus doux parfum que celui des sciures toutes fraîches qui flottaient avant de s'étaler sur le sol. Et il m'a récité du Victor Hugo. À cet instant, nous aurions dû nous demander en mariage. J'aurais été veuve bien jeune, mais j'aurais épousé un être avec qui je me sentais infiniment bien.

· En revenant de l'atelier, nous avons fait l'amour. J'avais cru qu'il patienterait jusqu'au soir. Il y avait longtemps qu'un homme n'avait pas été aussi tendre avec moi. Je me sentais précieuse et fragile entre ses mains. Et, surtout, je ne bousculais rien. J'ai eu les yeux ouverts durant toutes ces heures. Je voulais le regarder, le deviner, entrer en lui, qu'il soit témoin de mon plaisir.

Sans attendre, sans avoir peur, j'ai parlé. Ç'aurait pu avoir l'effet d'un raz de marée. En quelques mots, je pouvais tout faire éclater d'un coup, briser le rêve et la certitude. Qu'importe. Je lui ai murmuré :

— Laurent, fais-moi un enfant.

Plusieurs en auraient perdu leur désir sur-le-champ. Mon amant a souri en répondant :

— Demain. Promis.

Nous avons fait l'amour toute la nuit.

Le lendemain, dans la lumière devenue intimidante, je me suis excusée. Je m'étais laissé emporter. Il n'avait rien à craindre. J'avais déjà ma famille et elle faisait plus que me suffire, elle me comblait. Mais je n'ai pas pu résister à l'envie d'en remettre, en jouant un peu.

— Ils seraient beaux, tu sais.

Nous nous sommes embrassés. Il n'a même pas dissimulé un petit rictus d'angoisse. Je n'avais plus de garde-fou, de filtre ou de réserve. Plus d'orgueil non plus. Pendant les mois qui ont suivi, je me suis ouverte. J'ai dit tout haut ce que je pensais. J'ai ri de moi, de nous, de notre sensiblerie. De nos yeux mouillés par le lyrisme de nos déclarations. Tout m'étonnait. J'étais une huître. Depuis des années, j'étais blindée. Jusqu'à lui. C'est ainsi que mes jours sont devenus doux et limpides comme la rivière que j'ai vue se gonfler au printemps et danser tout l'été.

Avec Laurent, j'avais effacé de mon tableau les aventures, les amants et les déceptions. Je possède cette faculté du moment présent, de l'oubli des blessures. De cette liste, seul était resté François, mon premier amour et le père de mes enfants. Ça, ça ne se gomme pas. C'est précieux. Pour le reste, je poursuivais mon chemin. Pour le mieux. Je riais lorsque nous marchions dans la rivière glacée jusqu'à la roche que nous avions adoptée.

— Elle est à nous!

Je criais, conquérante, lorsque nous y arrivions. Puis je regardais les flots.

Ce mouvement perpétuel avait le pouvoir de me rassurer. Quand j'étais toute petite, un voisin de mon âge était décédé. Je ne comprenais pas encore ce qu'était la mort. Ma mère m'avait éclairée. Le cœur du petit Louis avait simplement arrêté de battre. Je m'étais tue.

C'est vers mon frère, plein de connaissances parfois douteuses, que je m'étais tournée pour comprendre.

— Mon cœur, il bat tout le temps ?

— Oui, sinon tu serais morte.

— Et où je peux l'entendre ?

Il avait désigné ma poitrine, mes poignets aussi. Puis, en appuyant la tête, il avait fait mine de m'ausculter.

— Je n'entends rien. Tu es morte, je crois.

Je m'étais mise à hurler. Et je suis devenue obsédée par ces battements qui n'allaient jamais s'arrêter tant que je serais vivante. Dans mon lit, je retenais mon souffle pour trouver le silence parfait qui me ferait entendre quelques pulsations. Je ne distinguais rien. Mes jours étaient comptés. C'est seulement après des nuits d'insomnie que je me suis confiée à ma mère quant à ma mort prochaine. Elle m'a consolée.

— Ton cœur, c'est comme une rivière, il n'arrête jamais. C'est comme les vagues lorsqu'on va à la mer, il y en a toujours. Elles ne dorment pas.

L'image m'avait réconfortée. Et encore aujourd'hui, elle m'apaisait. Tout comme Laurent.

Avec lui, je découvrais une innocence qui m'avait fait défaut ces dernières années. Je goûtais la grâce dans l'amour. Je me réconciliais avec le sexe. J'oubliais ses souillures. Je voulais être blanche comme à ma première communion. Impeccable, sans taches, pleine de promesses. Je portais des robes claires et diaphanes, de coton vaporeux. Sans m'en rendre compte, je me refaisais une virginité. Je retrouvais la tendresse, la douceur et des bras bien solides pour me protéger. De moi, de mes faiblesses, de mes secrets.

Ce soir-là, sept mois après notre première rencontre, j'étais toujours totalement amoureuse. Et nous partagions un autre repas, ensemble.

Pleine de douceur, cette soirée-là a été semblable aux autres. Entre nous, tout était d'un naturel qui étonne. Ça coulait. Notre relation était limpide et simple. Rien pour faire un film, ni pour écrire un livre, puisque le bonheur est fait de peu de mots.

Ensemble, nous avions préparé le souper. Il aimait cuisiner, moi l'accompagner. Même si le territoire est dangereux, qu'il peut déclencher des guerres dans les couples, nous arrivions à nous immiscer dans les plats de l'autre sans offense ou soupir d'agacement. Nous goûtions ce privilège.

Dehors, l'automne se pointait plus tôt que prévu. Le froid précoce nous avait donné envie de faire notre premier feu de foyer de la saison. Dans un élan de prudence, j'ai demandé :

— Les ramoneurs sont passés ?

— Non, mais les pompiers sont tout près, m'a répondu Laurent en souriant de ses yeux d'un brun profond.

Je n'imaginais pas que, dans les heures à venir, quatre d'entre eux débarqueraient chez moi pour me sauver non pas des flammes, mais d'une incroyable détresse.

J'étais à des millions de kilomètres de penser que ma vie chavirerait après le lever du jour. Insouciante, j'ai profité avec l'homme que j'aimais d'un souper bavard et joyeux. Je lui ai raconté des pans de mon enfance. Un nouvel amour a aussi cela de bien. Il permet de retracer les souvenirs bénis. Il nous amène à réaliser qu'on a biffé et presque oublié les épisodes plus douloureux. Il m'a dit qu'il m'aurait aimée à cinq ans lorsque j'attendais le facteur, mon ami, sagement assise sur le balcon. Mes sœurs grimpaient aux arbres, marchaient sur les mains. Moi, presque immobile, je me racontais des histoires. À mi-voix ou dans ma tête. Et même si je ne savais pas encore lire, je souhaitais le courrier, impatiemment.

Puis, nous avons rêvé notre prochain voyage. Il serait le capitaine qui me ferait voguer sur les eaux immaculées des Antilles. En le quittant – je travaillais tôt le lendemain –, je l'ai embrassé tendrement avant de murmurer :

— Dors bien.

Ce sont là mes deux derniers mots à mon amoureux. «Dors bien.»

Souvent, j'y repense.

# CHAPITRE 9

Il y a maintenant plus d'un an que j'ai appris la vérité. Depuis, il y a trop de nuits qui me séparent de Laurent. En ce moment, j'expérimente une thérapie qui me libère. Elle se passe au lit. Je n'en espérais pas tant. Moi dont la main ne peut retenir un léger tremblement chaque fois qu'elle touche un récepteur, j'ai osé appeler mon inconnu. Et lui dire que j'avais envie d'être dans son lit. Je crains de ne pas être assez reconnaissante. Il doit prendre conscience du bien qu'il me fait. De ma rémission probable par ses mains, ses caresses et ce qu'il veut bien m'accorder. Je voudrais qu'il sache que j'oublie tout, presque jusqu'au bout, quand nos corps se frappent, se frôlent et s'éloignent.

Je ne lui demande qu'un peu de patience. Il me reste à ne plus avoir envie de sombrer après mes orgasmes qui se bousculent comme si le temps était compté. Qu'il se rassure. Je ne suis pas dérangée, mais perdue depuis si longtemps. Il peut me prendre, me labourer. Je suis là, prête à le recevoir. J'entrevois la lumière, un rayon diffus, ondoyant, à travers les eaux sombres. J'entends de la musique. Elle est douce lorsque je suis à genoux à l'attendre. Elle devient explosive lorsque je touche le ciel.

Il me reste à apprivoiser mes finales. La descente est douloureuse. Je ne m'en tire pas indemne. Ça viendra. D'ici là, j'ai envie de sexe. Celui qui guérit. Et qui ne blesse pas.

Au bout du fil, je suis adolescente de nouveau. J'ose un « On se voit bientôt ? » qu'il attrape au vol :

— Je suis libre maintenant.

◆

Une fois de plus, il m'a remuée sans rien demander. Entre nous, il y a un chemin direct vers le plaisir. Pas de faux mouvements, d'étreintes indésirables ni de caresses superflues. Tout est admirablement synchronisé. L'équation est parfaite. Il n'attend pas de moi les éclats, les remerciements, les envolées reconnaissantes.

Nous en sommes à notre troisième rendez-vous et à un autre combat. J'en perds le sens du lit, l'élégance de la position. J'efface le ventre que l'on surveille du coin de l'œil. Il n'y a aucune douceur. Nous sommes tout près de la bête. Un peu plus et je lui demanderais de lécher mes plaies, de m'emmener dans la forêt. De me prendre sur les feuilles, parmi les branches qui jonchent le sol.

J'ai besoin d'être ailleurs. De sortir de moi. Certaines rêvent de draps doux, de dentelles, d'une peau lisse. Moi, je veux de la terre, des marques, je veux être souillée et avoir froid.

Laurent ne l'avait pas compris. Mon étranger, dans son lit, en pleine ville, devine cette part d'ombre. Il m'attaque au milieu des arbres et sur les roches. Je n'ai plus de foi, de loi, de toit. Je suis sale et immorale. Notre accouplement n'aura duré qu'une vingtaine de minutes.

À notre quatrième rencontre, j'ai supposé qu'il était musicien. Lorsqu'il me parcourt avec ses doigts, son toucher a une délicatesse particulière. C'est une hypothèse que mon amie Clara et moi avons développée : les musiciens sont doués, ils savent travailler le corps d'une femme. Ils possèdent une dextérité peu commune. À force de frotter leurs cordes, les guitaristes ont le bout des doigts un peu rugueux, mais la finesse de leurs caresses est remarquable. Cette théorie a même été approuvée par mes autres amies lors d'un souper particulièrement intense, après un sondage à la méthodologie savante, soit une heure de confessions sur nos expériences intimes.

Pendant que mon prétendu musicien me fait vibrer, qu'il s'attarde à l'intérieur de mes bras, devenus un autre territoire érogène, je reviens doucement des bois. Je ne m'y suis pas perdue. Tout va bien, maintenant. Le plaisir s'étale et prend tout l'espace. Mon amant remonte aux épaules avant de descendre vers d'autres caresses. Il a repoussé les limites. Je m'élève très haut, je m'agrippe aux étoffes pour ne pas tomber, mais la chute est brutale.

Le ciel se couvre.

Dans le silence des draps en bataille, l'orage va éclater.

Qu'est-ce que je n'ai pas vu?

Impossible de me défaire de cette pensée. Je ferme les yeux, je suis encore dans le lit et si loin à la fois.

Je veux partir. Pour la première fois, je ne m'enfuis pas. Je voudrais pleurer et être consolée. Je renonce et j'évite. Notre entente est claire : ni sauveur, ni âme sœur. Je me lève et m'habille sans presse. Je le regarde droit dans les yeux.

— Merci pour tout.

Et je le quitte. Pour toujours.

◆

Je suis revenue de son lit et de ses plaisirs complètement chavirée. Sur le chemin de la maison, je me répète que j'ai été digne en mettant fin à cette relation. Je ne me suis pas effondrée. Je n'ai rien déballé de la dernière année.

Je n'ai pas tenté de justifier les taillades sur mes cuisses. Impossible d'y échapper. Il les a remarquées. Il a eu la discrétion de ne pas poser de questions. Alors, mon inconnu et moi, c'est terminé. Je ne cherche pas d'excuses. Laurent est toujours là. Aussitôt arrivée à l'appartement, j'écris aux amies. Je dois les voir. Elles sont responsables de mon état. Elles ont tant insisté pour que je rencontre un nouvel homme. Et je les ai écoutées. En ce moment, l'opération frôle la débâcle.

◆

En général, il faut deux à trois semaines avant de trouver une date qui convienne à toutes, sans compter le choix du bon restaurant. Une soixantaine de messages peuvent être échangés avant de fixer un jour, une heure, un lieu. Et chaque fois, je reviens avec le même constat : il est certainement plus simple d'organiser un sommet avec les plus grands chefs d'État que de nous fixer un rendez-vous.

Nous y arrivons, tant bien que mal, depuis onze ans. Six ou sept fois par année, nous vivons de belles soirées et parfois de grandes aventures. Sur un coup de tête, nous avons déjà pris la route, en pleine nuit. Sept heures plus tard, nous étions toutes assises sur une plage à goûter le lever du soleil sur la mer. Nous avions voulu réconforter Milou qui traversait une sale période. Elle venait tout juste de nous dire qu'elle s'ennuyait de ces aurores pleines de promesses. Nous avons brisé sa mélancolie.

C'est après avoir travaillé toutes les quatre sur une émission de télé particulièrement exigeante que nous nous sommes liées d'amitié. Nous déclarons que nous sommes allées à la guerre ensemble. Que rien ne peut nous séparer.

Après avoir fait le tour de nos projets, avant le dernier verre, nous abordons les choses sérieuses. Nos relations, nos soucis, nos enfants et nos rêves. Il y en a toujours une d'entre nous qui traverse un moment plus houleux et qui reçoit la même réponse solidaire.

— J'ai quelqu'un dans ma vie, annonce à répétition Milou. Le seul problème, c'est qu'il est marié et a un enfant.

— Tu es sa maîtresse ? demande Annabelle, la plus sévère d'entre nous.

— Non, il m'a promis qu'il laisserait sa femme, répond l'amoureuse, hésitante.

Silence.

Une autre fois, c'est au tour de Clara.

— J'ai fouillé dans le Hotmail de Maxime.

— T'as fait ça ! s'offense Annabelle.

— Il écrit souvent à une fille, ils parlent de musique surtout.

— Il lui laisse des bisous à la fin des messages ? je lui demande, voulant alléger la tension qui s'élève.

— Oui, trois en général.

Silence.

Au-delà de nos inquiétudes et de notre quotidien, nous nous faisons du bien. Et moi qui tarde à répondre, qui regarde parfois amusée la liste de courriels s'allonger, cette fois-ci, j'ai besoin d'elles. Je lance un appel à l'aide.

◆

Le souper, déclaré urgent par le groupe, a lieu trois jours plus tard.

La première bouteille de vin n'est pas encore débouchée que j'attaque.

— J'ai besoin de la vérité. Ce que vous pensez vraiment. Qu'est-ce que j'ai fait ?

Je baisse les yeux avant de lâcher ma petite bombe.

— Je me sens responsable du suicide de Laurent.

Ma déclaration fait son effet.

Pendant qu'elles s'écrient que je n'ai rien fait, je poursuis, sans accorder d'importance à leurs paroles de réconfort. Je raconte mes moments d'ivresse. Ces pauses où, nue dans un lit avec un étranger, je croyais tout oublier. Ces instants où je retrouvais ce bonheur facile que j'ai souvent fréquenté. Ces matins où j'avais déjà hâte à la suite. Avec mon inconnu, je goûtais le délice. Je devenais de plus en plus gourmande. Pourtant, j'en émergeais blessée. Il m'amenait ailleurs. Le retour sur la terre ferme était si douloureux. En le quittant, je remettais mes vêtements et ma tristesse, que j'avais laissée sur le pas de sa porte.

— Je veux revivre et avoir du plaisir. Sans culpabilité. Je n'y arrive pas.

— Tu n'as rien à voir là-dedans. Il a choisi. Laurent était malheureux, me dit la douce Milou en me regardant dans les yeux.

À la fin de l'été, j'avais demandé à Laurent moins de tendresse au lit. Parfois seulement. Choqué, il s'était dressé avant de me dire qu'il n'arriverait jamais à me faire du mal. Depuis, je condamnais ma franchise et mon désir. L'amour avec lui était tendre et charnel. Laurent avait des mains précieuses. Et il posait des regards enflammés sur moi. Qui ne me suffisaient plus.

Je n'avais pas su résister à la vérité. Je l'aimais tant que, pour une fois, je voulais tout dire, ne rien taire. Côté cœur, je vivais dans le mensonge depuis des années, dans le non-dit, l'indifférence totale. Je flottais au-dessus de mes sentiments. Avec lui, je voulais être immaculée. Et transparente. C'est ainsi que je lui ai confié certaines nuits où, seule dans mon lit, je songeais à nos ébats qui n'en étaient pas. Je rêvais de lui, de personne d'autre, mais de gestes différents. Il y avait un temps pour la tendresse et un autre pour les étreintes plus sauvages.

J'aspirais à être prise sans préavis. À m'approcher de lui avec inquiétude. À frissonner de ce qui allait m'arriver. Je voulais être à lui. Être possédée. Farouchement. Sentir que je lui appartenais. Totalement.

Il m'a répété que jamais il ne pourrait me faire de mal. Je n'ai pas insisté. Les amies, silencieuses, m'écoutaient.

— On ne se tue pas pour ça, a tranché Milou.

— Oui, mais tu sais, l'ego d'un homme... Il a peut-être perdu tous ses repères. Il s'est questionné. Il a eu peur que tu le quittes.

Ici, j'avais droit à du grand Annabelle. Saisissante de franchise. Elle a même cru bon d'en remettre. Que c'était à mon tour de craindre. Que j'adorais le sexe avec mon inconnu. Que j'aurais préféré, secrètement, ne pas éprouver autant de plaisir. Ce serait plus décent à mes yeux.

Je voulais la vérité, je l'ai eue. Insupportable.

# CHAPITRE 10

Le trajet était long, la nuit froide. J'ai relevé mon col, serré mon foulard. J'éprouvais le besoin de penser, de respirer. Après ce souper de toutes les vérités, je suis retournée vers l'appartement en marchant. J'ai réalisé quelques pas plus tard qu'un an auparavant, à la même date, je retrouvais la parole après avoir été muette de peine. C'était le 14 décembre.

Il y a plus d'un an, en sortant de notre triste visite chez le médecin, celle où j'avais croisé l'enfant et son bonhomme pendu, j'avais promis aux miens de retrouver la voix. Je devais briser mon silence. Après avoir encaissé le choc, avalé que Laurent avait acheté la corde pour se la glisser autour du cou, je me suis rendue chez une orthophoniste. Il n'était pas question de voir un psycho-logue, un psychiatre ou un thérapeute. Antoine et Marion l'avaient compris. Ils étaient bien les seuls. Dans notre clan, chacun respecte les frontières, les secrets des autres. Je sais bien peu de leurs amours, de leurs inquiétudes. Nous évitons les épanchements lorsque nous avons mal. Souvent, je m'en suis voulu de ne pas attirer leurs confidences. J'aurais souhaité me retrouver le soir avec eux, dans un grand lit, à prolonger nos conversa-tions. Je suis plus douée pour les soupers bruyants et légers. Malgré mes efforts, mon écoute ne les a jamais convaincus. Très tôt, ils ont déclaré que je souffrais d'un léger déficit d'attention. Leurs conversations avec moi sont désormais ponctuées de « Tu comprends ? », qu'ils répètent avec insistance en me regardant.

Je me rappelle le premier échange, par courriel, avec l'orthophoniste. Dans l'espoir d'un rendez-vous rapide, j'ai cherché à la troubler. À chacun son malaise. Sa culpa-bilité. Mon histoire, j'en étais pleinement consciente, ne laissait pas indifférent. Il était gênant de l'ignorer. Encore plus de ne pas venir à mon secours.

« Madame, mon amoureux s'est suicidé le 9 octobre. Depuis, je ne parle plus. Une orthophoniste peut-elle m'aider à retrouver l'usage de la parole ? »

J'avais vu juste. Elle était empathique. Trente minutes plus tard, je recevais sa réponse.

« Chère madame. Je ne suis pas une spécialiste en la matière. Votre cas est rare. Je veux cependant vous aider. Il existe quelques méthodes de réhabilitation. Nous y arriverons.»

«Puis-je avoir un rendez-vous le plus rapidement possible s.v.p.?» avais-je ajouté en me retenant de ne pas écrire en caractères majuscules et gras.

Je me suis présentée chez elle, trois jours après notre échange, avec mon inséparable tablette et ces trente-deux jours de silence loin de Laurent.

Elle traitait surtout des jeunes avec de sérieux problèmes d'élocution. Cette difficulté du langage qui amène les autres à les considérer, à tort, comme des idiots dans les cours d'école, les sorties de famille et même à la maison. Ils sont de ceux que l'on encourage à parler et qu'on cesse d'écouter dès qu'ils mettent trop de temps à s'exprimer.

J'étais son premier cas post-traumatique. De sa voix douce, elle m'a proposé, comme à d'autres patients, des séances de quarante-cinq minutes, deux fois par semaine. J'y suis allée sagement. J'ai fait tous les exercices requis. Elle m'encourageait, sans qu'un son qui se rapproche de l'humain civilisé ne sorte de ma bouche.

Après quelques semaines de traitements, sans raison particulière, sans mérite, j'ai hurlé dans mon sommeil. Je me noyais. Le même tsunami qu'au magasin de sport. Mon foulard m'étranglait encore. La vague était inhumaine. Cette fois, la main de Laurent – je l'ai reconnue – m'agrippait par le bras pour me tirer de l'eau. Mais je n'arrivais pas à la saisir.

Son visage ondoyait à travers les vagues. Je ne l'entendais pas, mais il me suppliait, sans doute, de tenir bon. Au moment où j'ai trouvé la force de m'accrocher à lui, il a disparu. Brusquement. Une autre trahison. J'ai crié d'une voix que j'avais oubliée, que je n'ai pas reconnue. Je me suis réveillée. Antoine et Marion ont couru vers ma chambre et m'ont regardée, à leur tour.

Cette nuit-là, je me suis libérée. À grands flots, dans les bras de lui, d'elle, devenus mon père et ma mère. J'ai pleuré à pleins torrents sur les draps, ma chemise. Et, finalement, la tête enfouie dans le foulard de Laurent. En soupirant, en gémissant, en m'étouffant. Dans tous les registres. Antoine s'est senti obligé de prévenir le voisin d'en haut. «Désolé, maman a retrouvé la voix. Elle fait du bruit, mais ça passera.»

◆

Dans la journée, j'ai balbutié six mots.

— Merci, les enfants. Je vais bien.

Six petits mots. Et plutôt que d'appeler les amis qui s'étaient inquiétés pour moi, j'ai dormi. Je me suis terrée dans le sommeil pendant trente-six heures. Sans somnifères, sans alcool. Le sommeil, celui qui se voulait de la délivrance, celui qui ressemble à de l'épuisement.

Après cette longue nuit, j'ai pris le téléphone pour la première fois depuis le départ de l'homme que j'aimais. En fouillant dans son carnet noir, j'avais repéré le numéro de Chloé, la jolie femme venue à ma rencontre au salon funéraire. J'éprouvais l'envie de parler de mon amoureux avec quelqu'un qui l'avait intimement connu. Ce n'était pas une curiosité malsaine ni une jalousie tardive. Je voulais conter cet homme qui me manquait et que nous avions toutes deux aimé.

Je suis tombée sur un répondeur. Une voix fraîche, un peu aiguë, nous informait que Chloé était absente, mais tout près à la fois. Qu'elle nous donnerait des nouvelles plus vite qu'on le croyait. Après avoir hésité quelques secondes, j'ai finalement renoncé à raccrocher le combiné. Bien malgré moi, j'ai laissé un message ponctué de silences et de maladresses. Je souhaitais lui parler. Je m'ennuyais de Laurent.

— Si vous avez deux secondes, vous pouvez me rappeler. Deux secondes, non, plutôt deux minutes, ou un peu plus…, ai-je ajouté, consciente de ma piètre prestation.

Cette première conversation était tout sauf fluide.

Après cette tentative maladroite, j'ai décidé de m'attaquer à la pièce de résistance. Celle que j'avais contournée grâce à mon barrage de silence. J'ai appelé les parents de mon ébéniste disparu.

— Je suis désolée pour votre fils. Je viens de retrouver la voix.

Au bout du fil, la pause s'est étirée, volontairement je crois. Je ne la redoutais plus. Elle ne m'a pas impressionnée. J'en avais l'habitude. Je ne craignais plus les silences.

Comme prévu, leur réponse a été distante, à la hauteur de leur deuil et de leur dépit. Un simple « merci d'avoir appelé ». Et la conclusion, assassine : « Profitez bien de la maison », que m'a lancée sa mère avant de raccrocher. La gorge nouée, j'ai déposé le combiné. Je fermais ainsi la boucle. Après l'échec de cette conversation, je les effacerais de ma vie. Dans son testament, Laurent me laissait sa maison. Celle où il s'était pendu. Sa famille était indignée. J'imagine que son père, sa mère, ses sœurs devaient crier à l'injustice. Ils n'y comprenaient rien. Moi, guère plus.

Je l'avais appris presque par hasard. Dans mon esprit, un peu comme au cinéma, j'imaginais un notaire, lunettes sur le bout du nez, un peu chauve, bien calé derrière un pupitre foncé et imposant. Je l'entendais, d'un ton emprunté, faisant la lecture du testament. Je redoutais l'éventualité d'une telle rencontre. Je n'avais aucune envie de me trouver dans un bureau étouffant, enveloppée de l'hostilité de ses parents et de ses sœurs.

La bataille n'a pas eu lieu. Deux mois après la mort de Laurent, le téléphone a sonné dans l'appartement. J'ai entendu mon fils répondre :

— Elle est muette.

Il a enchaîné qu'il comprenait et qu'il reparlerait ensuite à la personne au bout du fil. Il m'a fait signe de prendre le combiné.

— C'est le notaire. Écoute-le bien. Il va t'expliquer. Prends des notes. Je lui poserai les questions à ta place. L'homme au bout du fil avait une voix réconfortante. Chaleureuse même. Il m'a ainsi appris que Laurent avait modifié son testament quelques jours avant sa mort. Qu'il me léguait la maison, son atelier, tout le terrain. Qu'il n'y aurait que quelques papiers à signer. Que les procédures pouvaient se conclure très rapidement.

La surprise était grande. Laurent était parti. Toutes mes attentes s'étaient envolées. Jamais je n'aurais pensé garder de lui autre chose que ses foulards et deux livres. Ça me suffisait. J'avais soif de ses promesses, de sa voix, de son corps. Le reste m'importait peu. J'étais sous le choc. L'héritage était trop généreux. Je ne le méritais pas.

Sur ma tablette, j'ai inscrit « maison », « vendre maintenant ? », « changer les serrures ».

Antoine a tout saisi. Je lui ai remis la clé. Le lendemain, il s'est rendu à la maison de Laurent pour y attendre le serrurier. Les loups n'y entreraient plus. En revenant, il m'a confirmé ce que je savais déjà.

— C'est magnifique comme endroit. Tu ne devrais pas l'abandonner. Pas maintenant. Attends d'aller mieux.

J'ai fermé les yeux. Ma bouche. Et serré mes narines.

*Elle n'arrivait pas à être indulgente. Qu'est-ce qu'il ne comprenait pas ? Qu'est-ce qui leur échappait à tous ? Laurent s'était pendu dans l'atelier. On avait dû le défaire de sa corde. Elle se demandait souvent dans le noir si, en voulant le dégager, on avait fait tomber bruyamment sur le sol son corps inanimé. Sur le dos, sur le ventre, la tête la première ? C'était bien suffisant pour ne plus vouloir y retourner. La douceur des nuits ne reviendrait plus.*

J'étais loin de la beauté du lieu. Encore plus distante de l'importance du legs. De sa générosité. Je ne calculais pas. Je ne mesurais pas. Je réalisais que Laurent avait parfaitement orchestré sa sortie.

Et j'ai écrit, en appuyant non pas sur les mots, mais sur le crayon : « Il s'est pendu là. Ce n'est pas suffisant ? »

Ma colère était silencieuse mais bien réelle.

# CHAPITRE 11

Il est sans pitié pour ceux qui ont mal. Il n'a rien de gai pour les cœurs orphelins. Noël nous rappelle qu'il y a bien peu à célébrer. Que les réjouissances appartiennent aux autres. On mesure la profondeur du gouffre, l'absence d'allégresse. Il est impitoyable. J'ai goûté à sa rudesse.

J'aurais préféré le traverser seule, dans mon lit, une couverture sur la tête. Mais je me suis fait violence. Avec cette voix nouvellement retrouvée, j'ai tenté de l'accueillir de mon mieux. Le cœur triste et agité. En famille, avec les amis, il y a eu quelques éclats de rire et des chants, avec un nœud dans la gorge. Pour la joie, je n'y arrivais pas. À répétition, on jetait des regards furtifs dans ma direction. Maladroitement, l'humanité tentait de vérifier, sans que je m'en aperçoive, si j'allais bien. Si je m'en sortais enfin.

Comment expliquer que c'était trop tôt ? Je ne voulais pas briser les espoirs. Je souriais et je chantais un peu plus fort. Mais en deux mois, on ne guérit pas du départ d'un homme qu'on aimait. Infiniment. J'avais assez joué. Assez donné.

Je suis retournée dans ma tanière. C'est là que, sept jours plus tard, avec un morceau de tissu glacé devant moi, j'ai marqué le début de la nouvelle année. J'avais obligé les enfants à saluer dignement le passage à un avenir meilleur avec leurs amis et décliné toutes les invitations, nombreuses, sincères ou charitables. Jamais je n'avais tant été sollicitée. L'entourage était plein d'empathie, de compassion. Moi, je ne rêvais que d'un tête-à-tête avec Laurent. Nous n'avions même pas eu la chance de célébrer ensemble une fête, son anniversaire ou même le mien. Notre ivresse n'aura duré que deux saisons.

Minuit approchait. J'effleurais le tissu froid. Je m'inquiétais de sécher notre rendez-vous. En scientifique recalée, je cherchais la méthode qui pourrait rendre à la matière inerte son odeur irremplaçable. Je voulais la caresser, la sentir, m'y perdre.

J'avais rangé l'autre foulard de Laurent dans un sac de plastique, fermé bien hermétiquement, au congélateur. Je ne sais trop par quel cheminement de l'esprit j'avais pu penser à cela. Je redoutais que, dans un tiroir ou une boîte de rangement, le parfum de sa peau finisse par s'estomper. Et j'ai eu l'idée du congélateur. Celui où je consignais mes cartes de crédit. Où l'on avait si mal caché mes clés pendant ma détresse. Je désirais un endroit digne et impeccable pour recevoir cette pièce unique. Alors, un à un, les plats surgelés, les glaçons de basilic, les glaces aux fruits périmées ont été éliminés. Ensuite, j'ai purifié ce qui allait devenir un coffret. Et j'y ai déposé l'écharpe, avec soin. Elle était bien identifiée. Sur le sac, il était inscrit au feutre rouge : « Ne pas toucher. À Laurent. »

Mais ce soir-là, le temps filait. Quelques minutes après minuit, alors que les gens en étaient encore à s'embrasser, à lever les flûtes de champagne et à se dire qu'ils s'aimaient, je cherchais. Je m'impatientais. J'ai décidé de poser le coton froissé dans le four à micro-ondes plutôt que dans la sécheuse. J'ai appuyé sur le mode de décongélation et j'ai attendu. Trente secondes. Ailleurs, dans les maisons, on se souhaitait encore le meilleur, la santé, le succès. Tout ce que l'on désirait. Le foulard est ressorti plus chaud, mais avec une triste odeur. Malgré mes précautions, l'opération de sauvetage avait échoué. C'est ainsi que j'ai commencé l'année. Déçue et épuisée, avec un bout de coton qui n'avait plus de passé.

◆

J'ai ensuite traversé les mois d'hiver à marcher, à lire et à dormir. Je me suis réfugiée chez moi, loin de tous. Pour mon bien. Pour leur bien.

Je me suis même sauvée de mes sœurs, venues me visiter sans m'aviser. À deux reprises, elles ont voulu, en commando, prendre de mes nouvelles. Je n'avais rien de neuf à conter. Elles s'en faisaient tant pour moi que j'aurais dû feindre la sérénité ou, pire, les consoler. Je comprenais leur désarroi, leur sentiment d'impuissance. On souffre de voir ceux qu'on aime s'enfoncer, incapables de remonter à la surface, vers la lumière. Parfois, les bouées ne servent à rien.

Elles frappaient à la porte, y collaient leurs visages pour voir si j'y étais. Alors, pour nous éviter la tristesse, je plongeais sur le plancher de chêne et je rampais. Comme un soldat désarmé qui fuit l'ennemi. Comme un enfant qui a peur des voleurs. La première fois, je me suis glissée sous mon lit. L'autre fois, derrière la causeuse. Je ne me souvenais plus m'être traînée ainsi. Le geste est moins naturel qu'on le pense.

De manière compulsive, j'ai fait du ménage dans mes papiers, mes livres, mes vêtements et mes souvenirs. Je triais, je jetais. J'empilais les boîtes, je donnais. Je larguais, je classais de nouveau. Tout était désormais d'une propreté inquiétante. Je traversais une longue nuit, j'avais besoin d'y voir clair dans la maison.

C'était mon ordonnance, mon antidépresseur, mon traitement. Je n'avais pas trouvé mieux. Me lever dans une chambre rangée. Ouvrir des tiroirs où les gilets sont joliment classés par couleurs. Ne plus collectionner les bas orphelins dont on se sépare avec un léger sentiment d'échec. Tout cela me permettait de mieux respirer. Ma vie pouvait être désordonnée, embrumée, mais à l'arrivée du printemps mon logis serait irréprochable.

Pourtant, j'ai détesté les bourgeons, les arbres en fleurs, les parents qui paradent fièrement avec les nouveau-nés. Je n'étais pas prête à ce retour à la vie. J'étais bien dans mes tricots qui avaient connu de meilleures soirées. J'appréciais la nuit qui arrive tôt. Je voulais me vautrer dans mon chagrin, dans l'absence de chaleur. Alors qu'elles s'étiraient au bonheur de tous, les journées me semblaient interminables. J'étais comme une automate.

Souvent, lorsque la maison redevenait silencieuse, je terminais mes soirées la tête contre la table, trop souvent désertée. Elle n'avait pas connu les rires, les conversations, les repas turbulents qui se poursuivaient jusqu'à tard dans la nuit. Je m'y couchais. Je la frôlais de mes joues. Du bout des doigts, je suivais ses sillons. Ils me rappelaient les vagues qui viennent mourir sur la plage.

J'effleurais le bois inégal en m'attardant, longuement, à ses imperfections. Je le caressais comme si c'était la peau de Laurent. Je regrettais le corps de l'homme qui l'avait travaillé. Je m'y suis même endormie. Épuisée.

## CHAPITRE 12

J'évitais les bras, on aurait pu voir, s'inquiéter, s'indigner. Le haut des cuisses restait discret. Je pouvais, sans réserve, appuyer juste un peu plus sur la lame pour comprendre que j'étais vivante. L'été s'était invité et je me retrouvais à la même table. Seule, encore, avec la jupe relevée. Je m'effleurais la peau avec un couteau.

Grâce à la douleur, au mal que je ressentais, je devinais que j'étais toujours présente. J'ai tout essayé. Je me suis mordu l'intérieur des joues, la langue, ça fonctionnait. Je me suis brûlée avec de la cire, et j'ai dit merci. Je ressentais quelque chose à nouveau. Cela me faisait même pleurer.

Ça m'est venu quand j'ai recommencé à parler. Muette, je pensais que ma peine et ma colère s'apaiseraient en hurlant, lorsque j'aurais retrouvé la voix. Après des journées à rouler en voiture et à crier à l'injustice, à la trahison, après des semaines à ne pas trouver la paix, j'ai compris que j'avais tout faux. Mon chagrin n'était pas prêt à céder sa place. Je pouvais épuiser mes cordes vocales ; il restait là, solidement ancré.

Le jour de la libération, il n'y a pas eu de confettis lancés par les gens entassés aux fenêtres ni de drapeaux agités pour célébrer mon retour à la parole. Rien de tout ça n'a eu lieu. La parade a été annulée.

Alors, à petits mouvements de couteau, ce soir-là, j'essayais d'intimider ma douleur. Je n'avais pas bu. Je n'avais rien avalé. J'étais juste un peu morte et je voulais vivre.

Et à ce moment, assise à la table, avec du sang sur les cuisses, je rêvais de l'hiver, de la nuit qui tombe tôt. J'avais un goût de fer dans la bouche.

*Elle résistait cependant à l'envie de tremper son index dans le sang et d'écrire, sur sa cuisse, en lettres rouges, le nom de l'homme qu'elle aimait. La tentation était pourtant si grande. Le geste si facile. Et si dangereux. Elle pourrait en prendre l'habitude.*

Une fois de plus, je suis sortie de mon corps pour me raconter. J'ai compris que j'allais trop loin. Je sombrais, avec complaisance. En regardant les perles de sang sur le haut de mes jambes, j'ai décidé d'agir.

◆

J'ai rangé les couteaux et cessé mon manège. Je ne me soumettrai plus à la tentation. J'avais envie de porter une jupe. J'avais envie d'insouciance. Et j'ai trouvé refuge dans mon bain.

Je portais encore des marques, quelques fines cicatrices que le soleil assombrirait. Plutôt que de me faire du mal, j'ai imité les petits en oubliant le temps. Je prenais des bains interminables, je m'y enfonçais la tête et je comptais. J'ai aussi apprivoisé la lumière. J'avais tiré les rideaux si longtemps. Dans l'appartement et sur le monde. Délicatement, je l'ai même laissée entrer dans chacune des pièces. J'ai osé me regarder à la lueur du jour. Mon visage affichait fidèlement la tempête et les orages des derniers mois. Puis, un matin de juin, François, le père des enfants, celui qui devine toujours parfaitement à quel moment se pointer, est arrivé. Il avait dans les bras deux immenses boîtes, pleines de basilic et de véroniques, mes fleurs préférées. Ensemble, nous les avons plantées et avons garni le balcon de grands pots.

— Tu dois t'y remettre. Depuis que je te connais, chaque été, tu nous embêtes avec tes fines herbes, a-t-il dit gentiment.

Il est parti, les mains terreuses, en me faisant promettre d'en prendre bien soin.

François tenait parole. J'ai tenu la mienne. J'arrosais mes plantes avec une attention presque maniaque. Dans ce geste attentif, il y avait un pari sur la vie. La mienne. J'avais sans doute entraîné, bien malgré moi, quelqu'un à se pendre, alors j'accompagnerais mes plantes jusqu'à l'automne. Ensuite, elles mourraient. Sans corde. D'elles-mêmes. Comme les guêpes. L'existence reprenait son cours. Début juillet, la maison de Laurent, celle où mon bonheur a pris fin, s'est vendue. Complètement meublée. J'avais assez de souvenirs ainsi. J'ai pensé appeler sa famille, mais elle s'était servie bien avant qu'on l'y invite. J'ai réfléchi à la cafetière, aux murs dépouillés, aux tableaux disparus après son décès. Ça suffisait à refroidir mon ambition de tout partager. Antoine a cependant conservé les outils et quelques pièces de bois qu'il désirait apprendre à travailler.

J'ai reçu une somme d'argent qui a fait croître ma culpabilité. Par moments, je rêvais de tout donner, mais les amies ont été claires. Je devais attendre. Il n'y avait pas d'urgence. Il avait modifié son testament quelques jours seulement avant de mourir. Cet héritage était fondamental à ses yeux.

Il m'avait abandonnée tout en voulant me soutenir. Entre nous, jamais il n'était question d'argent. Mon déserteur comprenait, pourtant, que mon avenir financier n'avait rien d'éclatant ou d'enviable. Il avait pressenti la peine qu'il m'infligerait et, bien maladroitement, il avait voulu l'alléger. M'éviter les inquiétudes du loyer à payer, des études des enfants, de mon travail précaire.

À ma façon, j'ai respecté ses dernières volontés silencieuses. J'ai décidé d'en faire profiter les miens. Sans remords. J'ai appelé Marion à son appartement.

— Je vous emmène en voyage ! N'importe où dans le monde, vous décidez.

— Maman, c'est bien toi ?

La gaieté de mon ton l'avait décontenancée.

— Oui, on part à la fin de l'été, où tu veux !

— Aux Bahamas !

Silence. Je lui offrais la planète, la Grande Barrière de corail, les temples du Cambodge, le Pérou et tout ce que ma fille avait trouvé à me répondre : les Bahamas ! Mon seul et unique projet de voyage avec Laurent. Le décor de ce rêve inachevé parce qu'il s'est pendu avec sa corde de bateau.

J'ai respiré, je suis restée à la surface. Elle n'y était pour rien. Je me sentais comme dans ce jeu où un vilain serpent, celui qui est le plus long, nous ramène en un coup de dés à la case de départ.

— As-tu une autre idée ?

— Tu me demandes où je veux aller. L'eau des Bahamas est si belle ! On va se baigner, faire de longues promenades sur la plage !

Après le triste hiver que je venais de leur imposer, j'étais malvenue de résister. Ce serait de l'égoïsme. J'ai fait une dernière tentative.

— Marion, le monde est si grand...

Devant son silence, j'ai plongé.

— Je réserve pour la fin de l'été. Appelle ton frère.
En plus, j'avais un guide tout neuf, que Laurent et
moi n'avions jamais ouvert.

◆

Avec les préparatifs, le soleil, mon basilic débordant de
bonne volonté et d'espoir, j'ai commencé à aller mieux.
Neuf mois avaient passé.

C'est à ce moment qu'un appel que je n'attendais
plus m'a permis de mieux comprendre Laurent. Son
geste surtout.

Assise à la terrasse, je faisais tous les efforts pour
apprécier la chaleur de la ville. Mes pensées me
ramenaient à la rivière où je n'irais plus. Sa musique
incessante me manquait. Le téléphone a sonné. Une
autre fois, d'un numéro que je ne connaissais pas. Je
me méfiais désormais. Les battements de mon cœur
s'emportaient.

C'était Chloé. L'amoureuse de Laurent qui avait tardé
à m'appeler. Elle ne se sentait pas prête. Il l'avait tellement
blessée. Elle lui en voulait toujours, et encore plus depuis
son suicide. Maintenant, elle allait mieux.

— On peut se voir ? J'en ai besoin.

Je venais de l'interrompre. La conversation méritait
une rencontre. Nous avons convenu qu'elle aurait lieu à
la terrasse d'un café.

Chloé était plus belle que dans mon souvenir trouble. Ses cheveux courts entouraient son visage parfait. Il n'y a eu aucune gêne entre nous. J'ai pensé que nous avions toutes les deux beaucoup à raconter. Que nous nous étions tues trop longtemps.

Laurent et elle avaient été ensemble pendant presque deux ans. C'était déjà beaucoup. Je l'enviais. Elle avait connu sa famille, qui l'adorait, ainsi que la maison, la lumière, la rivière et les arbres. Il y en avait même un que Laurent avait mis en terre en son honneur. « Tu te rappelles le lilas japonais ? » Sa confidence n'était pas innocente. « Il l'a planté pour moi. C'était une autre de ses surprises. » Une autre ? Elle en rajoutait.

Mais il n'y aurait pas de rivalité. Pas de duel. Ce n'était pas ce que j'attendais. Alors, je n'ai pas répliqué. J'ai passé sous silence le cerisier en mon honneur. Il aurait été facile de l'informer, avec la même fausse candeur, que son lilas n'avait pas fleuri au dernier printemps. J'ai simplement effleuré de mon pouce le tranchant du couteau sur la table. En appuyant un peu.

Elle n'avait jamais habité avec lui. Elle le visitait, dormait chez lui un ou deux soirs. Laurent avait besoin de son espace. Sa déclaration me réconfortait. J'avais vécu avec lui. Nous nous passions difficilement l'un de l'autre.

Puis un beau jour, sans avertissement, il lui avait annoncé qu'il la quittait. Qu'il n'arrivait pas à trouver le bonheur malgré les sentiments qu'il éprouvait pour elle. Bref, tous ces mots que vous lance un amant qui ne veut pas vous blesser. Il avait même ajouté l'infâme : «Je ne te mérite pas.» Elle ne lui avait pas pardonné. Encore moins lorsqu'il lui avait proposé, sans qu'elle ait eu le temps d'encaisser la nouvelle, de l'aider à faire ses valises.

— Je lui en ai voulu. Surtout de ne pas avoir apprécié mon amour, m'a-t-elle confié d'une voix qui trahissait une blessure mal guérie.

Et j'ai ainsi appris que notre disparu se réfugiait dans son atelier, des heures, sans y travailler. Il cherchait le silence. Il s'y cachait pour traverser de longues journées sombres.

Je n'avais rien vu de cette douleur. Je n'avais pas renié la réalité. La tristesse de Laurent, sauf la nuit du bal, m'avait totalement échappé.

À tort, j'avais rêvé d'échanger des souvenirs avec Chloé. Je nous entendais rire en évoquant cet être que nous avions aimé. À deux, nous aurions pu chasser les mauvais souvenirs. C'était sans doute trop demander. Maintenant, je préférais être seule avec Laurent. Ne pas le partager. Nous nous étions aimés. Si fort.

Jamais il ne m'aurait proposé de faire mes valises.

◆

Dans les jours qui ont suivi, je me suis concentrée sur le voyage et mes plantes.

J'ai ouvert le guide que j'avais offert à Laurent. J'avais imaginé le parcourir avec un regard différent. Celui de l'amoureuse qui partage un rêve avec son doux navigateur. Je le faisais désormais avec l'intérêt d'une mère qui croit aux jours meilleurs avec les siens. Je voulais choisir la plus belle des îles. Je reprenais le goût à la découverte. Je n'étais plus le témoin insensible de mon existence. Je la décidais, la planifiais. Entre les plages blanches comme une première neige, les sites de plongée et de rares restaurants, je m'égarais de longues heures chez des inconnus. Je ne voulais pas d'un hôtel, je souhaitais une immense demeure. Ainsi, j'ouvrais les portes closes de résidences magnifiques. Je jugeais chacune des pièces lors de visites virtuelles qui promettaient luxe et intimité.

Mes recherches étaient florissantes. Je rêvais enfin. Je m'imaginais avec les enfants réapprendre le rire, retrouver l'envie de me lever le matin et de courir vers la mer. Je retrouvais même le désir d'être prise en photo avec eux, moi qui, depuis un an, évitais tout souvenir de mes yeux tristes.

Les plantes sur la terrasse ne me laissaient pas tomber. Elles contribuaient à ma rédemption. Mon basilic s'étalait généreusement. Je ne résistais pas à l'envie d'y passer ma main et de le sentir. J'en attrapais les feuilles, les frottais contre ma paume et je humais. Profondément. Leur parfum était prononcé, un mélange de poivre et de clou de girofle. Une note de cannelle en plus. Je remerciais mes plants à voix basse pour cet hymne à la joie.

Même les fleurs, qui rêvaient sûrement d'un vaste jardin, s'accommodaient loyalement de leurs prisons de grès. Solidaires, elles me donnaient espoir. Elles étaient la preuve, végétale, que la vie, même en pot, en plein cœur de la ville, est plus forte que tout.

À travers les visites de villas, il m'arrivait de faire intrusion, sur Internet, dans les drames de gens heureux en apparence. Je n'étais pas la première à subir le choc. Le suicide d'un proche. Sans préavis. Celui qui vous fait basculer, qui vous coupe le souffle et la parole. L'impensable est plus fréquent qu'on le croit.

Il y avait des écrits sérieux sur la question, insupportables parfois. Je me suis surtout attardée aux articles accompagnés de photos de couples comblés.

Un texte, bien documenté, a particulièrement retenu mon attention. *Amour, carrière et suicide.* On y racontait l'histoire, en Angleterre, d'un père de famille marié avec son amour de jeunesse, trois beaux enfants, une belle carrière, pas de dettes ni de double vie. Il est vrai que des questions se posent toujours. Et dans son cas, comme dans celui de Laurent, rien qui pouvait apporter une réponse.

Le couple revenait d'une agréable soirée entre amis et s'était endormi dans les bras l'un de l'autre. Au matin, le mari, le père aimant, s'était tué avec la décence d'épargner le spectacle à ses enfants. En laissant une lettre aussi. Il avait pris la voiture pour plonger dans un ravin à quelques kilomètres de la maison. Il laissait à une mère dévastée le soin de mentir. Elle pourrait choisir son histoire. Et ainsi raconter que papa avait eu un terrible accident, qu'il était devenu une étoile – c'est ce que l'on suggère de dire aux petits – et qu'il veillerait sur eux. De tout leur cœur, ils croiraient à ce récit, jusqu'à ce qu'ils aient l'âge de lire et de tomber sur le reportage de ce journal anglais ou qu'un ami, fort de son effet, leur apprenne la vérité au milieu d'une cour d'école.

J'appliquais une méthode inspirée d'un dicton que je déteste : je me comparais et me consolais. Il n'y avait pas trois beaux enfants dans mon histoire, pas d'amour de jeunesse devenu un ami, un complice, un confident au fil de toutes ces années. Cette mère avait dû cacher sa douleur pour sauver sa famille. Moi, j'avais vécu mon drame avec un égoïsme rare.

Le grand luxe.

Depuis des mois, tout gravitait autour de ma peine. De moi.

Après m'être intéressée de trop près aux photos de ces amants d'apparence heureuse, j'ai mis un terme à mes recherches. Inutile de peaufiner mon étude, d'agrandir, sur mon écran, ces images de couples parfaits pour mieux observer le regard du malheureux silencieux. Le constat était le même : au moment du déclic, rien ne laissait présager le drame qui allait éclater.

Je ne possédais qu'une seule photo de nous, prise durant l'été. Nous étions sur le bord de la rivière. Et je défie quiconque de voir, au travers des pixels, autre chose que deux êtres amoureux.

CHAPITRE 13

Le voyage me donnait un nouveau souffle. Je le planifiais. Le désirais. Marion m'a amenée faire de nombreux
achats. J'ai renouvelé ma garde-robe. Nettement plus
joyeuse. Je me devais d'être à la hauteur de ce voyage
que je voulais gai et sans regrets. Me réconcilier avec la
beauté de ce qui m'entoure. J'avais déniché deux mail-
lots, un peu rétro. Leurs jupettes arrivaient même à
camoufler mes blessures aux cuisses. La recette était simple, efficace : les voyages effacent
les peines. Temporairement. Pendant le vol, l'altitude
m'éloignait déjà de mes mauvais souvenirs. En débar-
quant sur le tarmac du petit aéroport de l'île, j'ai ressenti,
à la seconde, un véritable soulagement. J'affectionne ces

arrivées où l'on est aussitôt embrassé par la chaleur, une moiteur que l'on apprécie. C'est un instant de grâce. Je me suis surprise à dire merci.

En pleine nuit, ce sont trois touristes heureux qui ont pris possession d'une somptueuse villa, directement sur la plage. Une cuisine et une salle à manger extérieures, des chambres décorées avec goût, un jardin et une magnifique piscine, tout appelait à de douces vacances.

Et c'est ce qu'elles furent. Parfaites, presque à tous les moments.

Antoine, Marion et moi, nous prenions notre premier café du matin sur le sable. Ils me regardaient, rassurés. Nous avons marché, nagé et plongé des journées entières. Ils retrouvaient leur mère. Je leur préparais des plats. Ensemble, nous faisions les courses au petit marché local. Nous achetions des fruits, des poissons que nous ne connaissions pas. Certains soirs, nous sortions dans le seul bar de l'île, à l'heure de l'apéro et du coucher du soleil. Nous levions nos verres. À la mer, au soleil, à la vie. J'étais sincère.

Contre toute attente, Laurent n'était pas venu avec nous. J'appréhendais de faire un voyage à quatre, qu'il soit là, à chaque instant. Mais non, je souhaitais ne rien perdre de l'occasion, ni des miens. Je m'étais ennuyée d'être leur mère. J'avais ma place auprès d'eux.

Je redécouvrais aussi mon corps. Je l'avais mis en quarantaine, dissimulé sous des étoffes sans forme. Et voilà que, sur la plage, je le dévoilais de nouveau. Sans l'exhiber, sans pavoiser, sans même vouloir séduire. Il était pourtant sorti intact de mon naufrage. J'étais encore désirable. Les regards que l'on posait sur moi en témoignaient. Et j'appréciais plus que tout le vent sur ma peau. Une caresse venue du ciel. Je ne m'en lassais pas. Un après-midi, tandis que mes athlètes faisaient de la plongée, j'étais étendue sur le sable brûlant. J'aimais en toucher les grains. À répétition, je les faisais glisser entre mes mains. Un sablier humain. J'entretenais l'habitude de compter. Sur la plage, comme dans un bain, je m'enlisais dans les sables mouvants.

J'avais chaud, un peu de sueur brillait sur mon front et sur le haut de mes lèvres. J'ai sorti la langue pour en saisir quelques gouttes. Elles goûtaient la mer. J'ai eu envie, à cet instant, d'un homme. Suant. À la peau salée. C'est arrivé comme une décharge, une urgence de volupté. Il y avait des lunes que je n'avais pas souhaité un peu de sexe. Mes désirs avaient sombré avec mon bonheur. Mais voilà que j'étais prête à séduire le premier venu. Et s'il ne venait pas, qu'importe, j'avais envie de me caresser.

Les yeux fermés sous le soleil, je me suis imaginée faisant l'amour à un inconnu. C'était la première fois depuis Laurent. J'étais chaste de corps et d'esprit depuis son départ. La chaleur me donnait envie de rattraper ces plaisirs oubliés.

J'ai imaginé le propriétaire du bar où nous allions prendre un verre, dans l'indolence des fins de journée.

Avec ses airs de baroudeur, il posait sur moi un regard intéressé. Puis, j'ai pensé au jardinier de la villa. Trois ou quatre fois, tandis que je me faisais bronzer près de la piscine, il m'avait observée à distance. Je l'avais remarqué. Et il me plaisait. En plus, il faisait l'un des plus beaux métiers du monde. Se lever le matin en sachant qu'on passera la journée à rendre un jardin plus généreux, plus exubérant remplissait sûrement de fierté. J'imaginais beaucoup d'amour dans ce travail. Et une certaine poésie.

À l'un de mes anniversaires, bien avant de rencontrer Laurent, j'avais reçu au travail deux gerbes, de deux prétendants. J'étais ravie, mais une seule me suffisait. Sur le coup, j'avais décidé d'offrir l'autre à une collègue qui y trouverait un peu de joie. En faisant rapidement le tour des visages – nous ne sommes que dix dans notre boîte de production –, j'ai croisé le regard triste de Léa. Cette mine qu'elle affiche à chaque instant et qui s'illumine si rarement. Je lui ai offert le bouquet. Comme je m'y attendais, elle a d'abord refusé.

— Il t'a été livré à toi. Pas à moi.

Son ton était rempli de mauvaise volonté.

— Oui, mais j'en ai deux. On partage !

Je ne voulais pas céder à son humeur. J'ai dû insister. Certaines personnes ne savent pas donner, d'autres ne savent pas recevoir. C'était le cas de Léa. Et même s'il ne lui était pas destiné, en l'acceptant elle a souri, pour une fois. Pourtant, elle est jolie lorsqu'elle sourit.

J'avais pris soin d'éliminer la petite carte. Et surtout d'effacer de ma mémoire les mots minables qui y étaient écrits. L'ensemble manquait cruellement de romantisme. « Bon anniversaire. J'ai envie de te baiser. » À l'époque, mes fréquentations étaient plutôt douteuses. J'avais complètement oublié mes amours tristes et rustres, ainsi que cet épisode avec Léa.

◆

Sur la plage, il faisait de plus en plus chaud. Au loin dans mon imaginaire, j'allais être prise par un troisième amant. C'est une pluie toute fraîche sur mon ventre qui m'a ramenée à la réalité. Marion répétait l'un de ses classiques. Elle secouait sa longue chevelure pleine d'eau de mer directement au-dessus de moi.

J'ai crié en riant. Je la retrouvais comme au temps de l'enfance. Au même moment, Antoine sortait de l'eau en tenant, fièrement, un immense coquillage. Son trophée de la journée.

Mon fils est un glaneur. Il se fait un devoir d'accorder une deuxième vie aux objets les plus mal aimés. Tout petit, il revenait chaque jour de l'école avec un nouveau trésor. Sur le chemin, dans les ruelles, il dénichait une bouteille ancienne, un modèle réduit de bateau qui avait traversé plusieurs naufrages, des livres un peu moisis, des lampes abandonnées. À tout coup, il fallait admirer les vieilleries, s'exclamer, les nettoyer et leur trouver une place de choix. Une seule fois, mon emballement a fait défaut. J'ai plutôt sursauté de peur et de dégoût. Torse nu, il frappait à la porte. Il avait enlevé son gilet pour en faire un lit destiné à une petite bête, toute rose, pas encore poilue, qui ne ressemblait à rien. Ses yeux étaient clos et son ventre lisse se gonflait de façon troublante à chaque respiration.

— Je viens de le trouver en dessous d'un arbre. C'est un bébé écureuil, je pense.

J'ai craqué. Pas pour la bête, mais pour mon fils. L'écureuil a eu droit à une boîte de souliers, à un linge au fond, à un peu de gazon… et au balcon. Il était interdit de l'inviter dans l'appartement. Au bout de deux jours, il n'était plus dans son coffret de fortune. Je doutais qu'il en soit sorti de lui-même. J'ai tout de même juré à Antoine que sa maman était venue le chercher dans la nuit. Que je les avais entendus. J'ai poussé le mensonge en imitant, je ne sais plus comment, les cris d'une maman écureuil qui retrouve son fils.

◆

À force de baignade et de soleil, je dormais comme une enfant. J'avais oublié le plaisir des nuits bénies, dont on ressort indemne. Et reposé.

Tout allait si bien que j'ai même décidé de réserver un voilier avec un capitaine qui nous mènerait d'île en île. Quelques semaines plus tôt, l'idée m'aurait semblé au-dessus de mes forces. En cette fin de vacances, elle m'apparaissait idéale pour tirer un trait sur ces derniers mois, ces derniers jours, ces dernières heures à penser à lui.

Et ces moments à voguer, à plonger, à manger du poisson fraîchement pêché m'ont amenée plus loin. Là où il faisait, enfin, doux. Je ne vacillais plus d'une blessure si grande, d'une vague qui me prenait par surprise. Je tanguais, portée par des flots couleur d'espoir. La nuit tombée, je regardais les étoiles. Comme les enfants de cet Anglais suicidé, je me disais qu'il y en avait une pour Laurent. Et qu'il veillait sur moi, sur nous. Mes deux matelots préférés venaient parfois me rejoindre sur le pont. Nous passions de longs moments à goûter le ciel.

— Je suis heureux, m'a dit Antoine, avec pudeur. Tu verras, tout va bien aller, a-t-il ajouté en me caressant les cheveux du bout des doigts.

Mon fils était un homme. Cette pensée me rassurait.

— Oui. La vie est belle.

Après, ce fut un long silence. J'étais sous le choc de ma déclaration. Et j'aimais mon rebelle au cœur tendre. Je le regardais d'un autre œil. Il saurait, un jour, réconforter une femme, la consoler aussi. Il me restait à lui apprendre à ne pas l'abandonner sans mots, sans lettre. D'avoir le courage des adieux. Même les derniers.

Au matin du départ, personne n'avait envie de quitter l'île. J'ai marché, très longtemps, sur la plage. Défiant les lois qui l'interdisent, j'ai fait glisser du sable blanc et doux dans un pot que j'ai religieusement refermé.

Ce serait pour l'absent. Le souvenir de notre voyage.

## CHAPITRE 14

À notre retour de vacances, les amies redoutaient le triste anniversaire. Celui du 9 octobre. Elles ont débarqué, sans avertissement. J'en avais perdu l'habitude.

— Il faut que tu sortes, a dit Milou.

— Que tu voies des gens, a ajouté Annabelle.

— Que tu rencontres un homme, a déclaré Clara.

— C'est trop tôt, ai-je conclu.

Elles ont raconté que j'étais jeune. Que le voyage avec les enfants m'avait fait du bien, que j'étais belle et bronzée. Que le sexe guérit tout. Que je devais arrêter de me punir. Que le corps avait besoin d'exulter. Qu'il fallait passer à l'action et que Laurent n'aurait pas aimé me voir ainsi. Elles avaient raison. Sur le dernier point, je ne me prononce pas.

Alors, Clara, la spécialiste des relations à court, moyen et long terme, a décidé de m'inscrire aux sites de rencontres qu'elle fréquente. C'est une professionnelle en la matière. Elle peut décliner le pour et le contre d'une dizaine d'agences virtuelles promettant le grand amour.

Elle a sorti son ordinateur portable et a commencé, sans hésitation, à me créer un profil. « Célibataire, début quarantaine, jolie, teint basané, aimant la vie, recherche compagnon pour loisirs et bons moments... »

Là, je ne cédais plus. Elles me voulaient du bien, mais j'ai mis les choses au clair.

— Je ne veux pas de compagnon. Je n'ai aucune envie de partager mes loisirs. J'aime lire seule. Passer des journées sans dire un mot. Ce n'est pas pour moi.

Sans juger, je hais ces annonces. Je comprends mal ces célibataires qui cherchent un ami pour partager un repas autour d'une bonne bouteille de vin. J'étais disposée à certains efforts, mais pas à me vendre, comme une vulgaire camelote sur un étalage poussiéreux. Je savais que des milliers d'esseulés y avaient trouvé l'âme sœur, mais ce n'était pas pour moi.

J'ai alors fait un pacte avec les amies. Je n'avais pas le choix. À trois, elles peuvent être à la fois convaincantes et épuisantes.

— Nous allons publier une annonce. Pas dans un site, mais dans un journal, ai-je consenti.

— Tu voudrais ? a crié Clara.

— Je vais t'aider à trouver les bons mots, m'a promis Milou.

C'était non négociable. L'annonce que j'avais en tête ou rien du tout. En l'entendant, elles ont été contrariées.

— Les obsédés vont tous t'écrire, tu parles de peau, a déclaré la sage Milou tandis qu'Annabelle se désolait de mon manque de romantisme.

— Tous les psychologues vont vouloir te rencontrer, a cru bon d'ajouter Clara avant de se jumeler à Annabelle pour former l'équipe de recrutement.

Elles allaient recevoir les lettres – déjà, écrire demandait un effort, il fallait se montrer intéressé. Elles feraient ensuite une première sélection avant de me présenter les candidats potentiels. Des hommes que je plaignais déjà, compte tenu de mon degré d'emballement. En vérité, l'exercice s'apparentait davantage à une épreuve. Comme je disposais d'une équipe de rencontres bien aguerrie, j'ai malgré tout suivi le courant. Mes entremetteuses m'ont d'ailleurs promis d'attendre mon signal avant de faire paraître l'annonce. J'avais besoin de temps. Et d'une longue discussion, à distance, avec Laurent.

◆

Le quotidien, la rentrée à l'université des enfants et, surtout, mes premiers véritables projets à mener seule ont rendu notre retour plus facile. Je reprenais l'action. Je ne passais plus les matins à espérer le soir. J'étais retournée

à ma salle de montage. Je visionnais deux longues entre-
vues réalisées il y a plus d'un an. Elles étaient encore
d'actualité. La boîte de production où je travaillais avait
fait preuve d'une compréhension exemplaire. On m'at-
tendrait. On mettrait les deux projets sur la glace jusqu'à
ce que je sois prête.

J'y revenais, doucement et avec plaisir. Mes feuilles
de notes, mes écouteurs sur la tête, je repérais et je trans-
crivais. J'imaginais déjà le produit final. Je retrouvais mes
collègues et le plaisir d'échanger avec eux. Étonnée, je
constatais que je pouvais encore les faire sourire, les
amuser. Je n'avais pas tout perdu.

◆

Léa n'était pas la plus chaleureuse des collègues. Ni
la plus généreuse. Pourtant, un matin, elle a frappé à
la porte de mon bureau. J'ai pensé à une de ces dis-
putes inutiles et fréquentes entre elle et une adjointe.
Ou encore qu'elle s'inquiétait de mon retour. Elle avait
travaillé sur l'un des documentaires que j'avais amorcés.

— Je peux te déranger?

Elle avait cette façon de dire les choses. Toujours un
peu victime, un peu irritante. Bien sûr qu'on pouvait se
parler. J'ai posé mes écouteurs et tiré une chaise pour elle.

La conversation a débuté avec les gentilles banalités
d'usage. Les fruits d'été, les vacances. Elle revenait de la
mer où elle avait loué une maison. Le temps avait été

exceptionnel, d'où la lumière sur son visage parfois terne. Elle semblait détendue, je n'irais pas jusqu'à dire heureuse, ça semblait au-delà de ses capacités. Elle voulait m'entretenir de ce que je ne comprenais pas. La vie. Plus facile pour certains que pour d'autres. Je me suis levée pour refermer la porte de mon bureau.

Sans détour, avec une franchise déconcertante, Léa m'a parlé de Laurent, qu'elle ne connaissait pas. Elle tenait pourtant à ce que je sache.

— Ne crois pas que c'est de la lâcheté. Il a sans doute été très courageux de se rendre jusqu'à ses quarante-cinq ans, m'a-t-elle envoyé solidement. Moi, je l'admire, ton amoureux.

Elle m'étonnait. Je ne m'attendais pas à cet entretien. Puis, je n'avais jamais envisagé le suicide comme un acte de courage. Déterminée à ce que je saisisse la vérité de ses propos, elle en rajoutait.

— Tu ne devines pas la douleur de se lever le matin et d'affronter la journée. Tu ne soupçonnes rien des nuits où l'on ne s'endort pas, épuisé d'être passé au travers des heures. Tu ne crains pas cette fatigue qui t'étrangle dès le réveil en sachant qu'aujourd'hui encore il y a la vie.

Elle parlait si bien. Et de ces états, oui, j'ignorais tout. J'en découvrais la violence, mais je demeurais étrangère au mal de vivre, à la tristesse chronique.

— Mais pourquoi il me disait qu'il était heureux ? Il avait l'air si bien. Il m'aimait.

J'espérais qu'elle inventerait la bonne réponse. Celle que j'avais soif d'entendre.

— Parce qu'il ne voulait pas te décevoir. Il a dû ramer très fort pour être à la hauteur de tes attentes, du bonheur qu'il regrettait de ne pas ressentir. Attendre d'être heureux, c'est épuisant, à la longue. Et ça devient insupportable lorsque tu as tout pour l'être. Que tu es follement amoureux et qu'au fond de toi c'est le même vide immense.

J'hésitais. Ses mots me faisaient respirer, mais j'avais envie, au même moment, de remettre mes écouteurs et de monter le son, très fort, pour ne plus l'entendre. Ses paroles me touchaient en plein ventre, le refuge de Laurent. Dans le témoignage de Léa, il y avait un cri du cœur. Nous étions à présent en eaux troubles.

— Tu penses au suicide, Léa?

— Tous les jours, m'a-t-elle répondu avec un certain détachement.

Elle ne pleurait pas. Ne semblait pas émue de sa réplique. C'était un fait, une évidence. J'avais devant moi une survivante. Et je comprenais qu'à présent je devais l'admirer.

Avant qu'elle ne me quitte, je l'ai serrée dans mes bras. Un geste que je n'aurais jamais imaginé entre nous. Et je l'ai remerciée. Je n'avais pas encore décidé si j'en voulais moins à l'homme qui m'avait abandonnée. Si je faisais la paix avec lui. Si je lui étais reconnaissante d'avoir tenu si longtemps. Mais je voyais les choses autrement, grâce à une collègue de travail qui m'avait toujours paru distante et insensible. Je savais maintenant qu'elle partageait le même mal que lui.

◆

Le 9 octobre est arrivé si vite. Les vacances, le plaisir de retrouver le travail, les collègues, tout s'envolait. La fête était finie. Le sommeil avait été rare les deux nuits précédentes. Même le bout de tissu qui me reliait à Laurent, bien serré dans mes bras, ne parvenait pas à m'apaiser. Sa voix me manquait. Je regrettais d'avoir effacé, dans un élan de colère, ses derniers messages sur le répondeur. J'aurais aimé l'entendre me dire que le voyage serait doux. Plus que tout, son odeur me manquait. Terriblement.

Ce jour-là, il faisait moins froid que cette soirée où nous avions fait un feu de foyer, après notre souper d'adieu. C'est sous un ciel pur que je me suis rendue, pour la toute première fois, au cimetière. J'allais mettre en terre mon amoureux. Un an plus tard.

J'avais pris soin de me maquiller, de mettre du rouge sur mes lèvres, d'enfiler une robe et un imperméable cintré à la taille. J'ai poussé la note en glissant sur mes jambes des collants de résille, ceux qui ont une couture derrière. Je ressemblais à ces femmes sur les photos humanistes de l'après-guerre. Celles que rendaient si gracieuses Willy Ronis et Robert Doisneau. Laurent m'aurait désirée.

Avec des chaussures trop délicates pour parcourir des kilomètres à travers des stèles, j'ai cherché, jusqu'à m'en décourager, la pierre de mon déserteur. J'ai erré parmi les monuments aux disparus. Je regrettais mes bas résille, inconfortables. Et j'ai trouvé.

Elle était à son image : sobre, toute simple. De ma main droite, un peu tremblante, je l'ai touchée. Elle était presque chaude sous le soleil. Un bouquet de marguerites jaunes venait d'y être posé. Laurent n'aimait pas particulièrement ces fleurs. J'étais soulagée de ne pas avoir croisé la personne venue avant moi. Une ancienne amoureuse, sa mère, des amis ?

J'ai sorti de mon sac le pot de sable interdit. Je l'ai versé, délicatement, comme de la poussière d'or, en petite montagne, devant la plaque.

— Mon amour, tu as manqué un beau voyage, ai-je murmuré. Et il faut que je te dise. Merci d'avoir été à mes côtés, d'avoir essayé le bonheur. Léa m'a tout expliqué. Je suis désolée de ne pas avoir compris ta bataille. Tu aurais dû me parler.

C'était fait. Le barrage venait de céder. Le courant, les flots retenus depuis si longtemps se libéraient en vastes remous, en chutes, en mousse blanche. Contre toute attente, je n'arrivais plus à m'arrêter. Je ne pensais plus aux visiteurs, aux passants. J'étais en grand monologue avec Laurent. Mon débit aussi rapide qu'une déferlante, je parlais de tout et de rien. Du basilic qui foisonnait, des jours de voile avec Antoine et Marion qui ont bien pris soin de leur mère. De son foulard que j'avais mis au congélateur et sorti bien fade du micro-ondes. Je déballais toute une année devant un morceau de granit et ça me libérait.

— Mon bel amour, tu aurais dû m'écrire. Juste quelques mots. Ç'aurait été moins dur, je crois.

J'avais monté le ton.

— Et ce dernier silence de ta part, je le trouve un peu cruel. Il est injuste. Si tu m'aimais vraiment, tu aurais dû me laisser une note. Depuis un an, je me demande ce que j'ai fait. Et là, il faut que je poursuive mon chemin. Je vais continuer de penser à toi, mais je ne peux plus être amoureuse d'un mort. Je dois rencontrer des hommes. Les amies me disent que tu serais d'accord. Prends soin de moi.

Et comme dans un mauvais mélodrame, comme dans un film de série B, j'ai embrassé la pierre chaude. Plus d'une fois. À grands sanglots. Laurent n'était pas à sa place ici. Il aurait dû être dans son atelier à travailler, à m'attendre. Je me serais pressée, il faisait si beau, et nous aurions passé la soirée ensemble. Sa place était près de moi. Je me suis relevée, un peu en colère. Et j'ai quitté l'homme qui m'avait abandonnée. Le cœur triste.

J'avais rêvé d'un semblant de libération et voilà que je traînais avec moi le poids de toutes ces pierres que je croisais. Et j'avançais péniblement. Ce n'était pas le scénario envisagé.

Le soir même, après avoir pleuré, seule, sans épaule pour me consoler, j'ai avisé Clara.

— Tu peux faire paraître l'annonce.

— Aujourd'hui? Tu es certaine que c'est le bon moment? s'est-elle inquiétée.

— C'est maintenant ou jamais.

Mon ton était sans appel. Après un an de froidure, en ce jour d'anniversaire noir, je partais à la recherche d'un peu de chaleur à mettre sur mes blessures.

— Tu n'as pas l'air bien. Tu veux que je vienne?

J'ai pensé qu'elle était gentille, Clara. Et oui, j'allais mal. Je n'avais pas envie de fêter, j'avais besoin de peau. Je voulais oublier.

Au matin, en ouvrant le journal, je n'ai pas vu mon annonce dans la rubrique «rencontres». Elle y serait sûrement le jour d'après. Malgré une nuit de mauvais sommeil, j'ai pris plaisir à lire certaines descriptions. La mienne trancherait parmi celles de ces gens à la recherche d'amitié, de l'âme sœur ou du grand amour.

Et j'avais raison. Le 11 octobre, dans mon quotidien, une annonce occupait trois fois l'espace des autres, c'est ce que nous avions décidé. On pouvait y lire:

«Cœur encore brisé ne recherche ni sauveur, ni âme sœur. Seulement un peu de peau à mettre sur sa peine.»

Restait à voir qui serait interpellé par cette déclaration. D'autant plus qu'il fallait répondre par écrit, et non pas machinalement par courriel et sans effort. C'est Milou qui avait insisté.

— Nous voulons des lettres manuscrites. Un message qu'ils auront pris soin d'écrire de leur main. Selon elle, ce geste exprimerait leur intérêt. Les coucheurs, ceux qui étaient à la recherche de sexe facile se décourageraient automatiquement. Annabelle prétendait connaître assez bien la graphologie pour détecter les dominants, ceux qui risquaient de me faire du mal. Et elle a décliné ses plus récentes connaissances.

— Si le *m* débute par une boucle, là, on oublie. C'est un jaloux. Pour la barre sur les *t*, tout dépend d'où elle commence. On peut voir s'il est violent, a poursuivi ma graphologue des petites annonces.

Elle avait fait la même chose avec le tarot, des années plus tôt. Après quelques lectures, elle s'était autoproclamée spécialiste en la matière. Nous avions dû nous prêter au jeu. Petite table, lumière tamisée. Annabelle portait même un châle et du khôl trop foncé autour des yeux. Je n'ai pas résisté. Elle y mettait tant d'efforts. Dès la première carte, l'apparition d'un homme pendu avait fait disparaître toutes mes bonnes intentions. Le pauvre, suspendu par une seule cheville, la tête vers le sol, avait les bras attachés dans le dos. Il semblait pourtant à l'aise dans cette position insoutenable. Ma liseuse de tarot a eu beau me jurer que c'était une belle carte, qu'à l'envers il voyait les choses différemment, je n'ai pas aimé.

— Avec ses pieds et ses mains liés, il a du temps pour réfléchir, pour méditer même !

D'instinct, j'ai quitté la table. Je comprends pourquoi aujourd'hui.

◆

Il a fallu quatre jours avant qu'au bout du fil Clara, surexcitée, haletante, m'annonce :

— On a reçu cent quarante-trois lettres !

J'ai retenu mon souffle.

— Tu es là ?

Oui, mais je me noie un peu. *Elle reconnaissait qu'elle ne pouvait rester seule, s'isoler, pendant des années. Qu'elle n'avait pas à se punir du départ de Laurent. Qu'elle ne le tromperait pas si elle couchait avec un autre. Il était mort. De toute façon, il n'était pas question d'amour. C'était bien écrit dans l'annonce, elle avait besoin d'un peu de chaleur pour mettre sur sa peau. Rien de plus.*

Je suis revenue à moi et Clara a enchaîné :

— Tu en as pour tous les goûts. En prime, il y en a deux qui ont glissé une photo d'eux nus. Tu ne t'ennuieras pas !

Qu'est-ce que je faisais dans cette galère ? Je regrettais subitement de m'être laissé emporter dans l'aventure épistolaire. J'étais si bien seule, à lire, à me promener, à me concocter des petits plats juste pour moi. Je n'avais aucune envie d'aller prendre un verre avec un homme choyé par la nature, pas plus qu'avec un petit bedonnant.

— Clara, désolée. Je ne suis pas prête.

Je désertais le navire. Je me dégonflais. J'ai attendu un soupir d'exaspération. Il s'est plutôt traduit par un long silence. Pesant. Plein de reproches.

— Tu ne le seras jamais, m'a répondu ma responsable du courrier du cœur.

Elle m'a avisée qu'avec ou sans mon consentement elle commencerait les premières lectures avec Annabelle. Elles ne me soumettraient que cinq candidatures. Ce serait à moi de choisir. Et de toute façon, le jeu ne faisait que commencer. Elles s'attendaient toutes deux à crouler sous les lettres.

Ce qui arriva.

Mon amie avait même pris un après-midi de congé pour se consacrer à sa mission. Elle croyait avoir discerné cinq ou six agresseurs ou obsédés sexuels potentiels. Et au moins une vingtaine d'hommes qui ne voulaient vraiment pas mon bien. Mon experte graphologue m'avait sauvée, elle en était certaine, de quelques rendez-vous imprudents.

— Si tu avais vu sa façon de faire les g... Un méga-problème de sexe.

Rien n'allait plus. Par amitié, je me suis tout de même présentée au premier rendez-vous. L'expérience m'a fait douter de l'efficacité de mes deux recruteuses. L'homme en question, gentil, à la peau blanche et trop lisse, travaillait auprès des jeunes en difficulté. En trente minutes, il a enfilé deux expressos et m'a raconté son dévouement. Il luisait un peu. Avec un léger malaise, je m'imaginais glissant entre ses mains moites. Puis, sans le savoir, mon candidat s'est fait évincer en un temps record. Nerveusement, il a promis qu'il prendrait soin de moi, que c'était dans sa nature. Discrètement, j'ai serré le foulard de Laurent enfoui au fond de mon sac. J'ai annoncé à mon premier prétendant que j'étais désolée. Je n'étais pas prête. Au moment venu, je le rappellerais. En sortant du café, j'ai aspiré profondément tout l'air qui se trouvait autour de moi. J'en avais un urgent besoin. Et je n'ai donné aucun signe de vie aux amies. Elles espéraient sans doute un coup de fil plein de reconnaissance. Je venais de les congédier.

Une fois à l'appartement, je respirais toujours avec douleur. J'ai fait couler un bain. Je m'y suis glissée. Et je m'y suis enfuie. J'avais pourtant bien écrit ni sauveur ni âme sœur. Qu'est-ce que ce premier candidat n'avait pas compris ?

L'autre rendez-vous me pesait aussi. Il m'était impossible de le décommander, juraient les filles. Cette rencontre a été un nouvel échec navrant. J'avais l'impression d'un mauvais film. Celui-là était beau. Il avait l'air jeune avec sa veste de cuir sur un chandail qui devait sentir très bon. À mon arrivée, il m'a tendu, souriant, un bouquet de fleurs. Ses chances venaient de s'évaporer d'un coup.

Je m'en voulais de mon intransigeance. Allais-je devenir cynique et amère ? Par ce geste, galant et attentionné, il venait d'être écarté de la liste. Non que ce fût une grande perte pour lui. J'avais bien peu à donner. Mais peut-être avait-il envie, lui qui devait faire frémir les femmes en mal de héros, d'une histoire de peau toute simple ? La gerbe sur la table me ramenait sans cesse à ces heures pénibles au salon, à ces jours de mutisme, à mes nuits de naufrage.

J'ai essayé de divertir, de me faire agréable. Pour ne pas le blesser, j'ai joué la carte de la fille encore fragile. Celle qui croyait possible une nouvelle flamme et qui se rendait compte que c'était au-delà de ses forces. Et pourtant, quelle chance elle manquait ! Il était au-delà de ses espérances.

— Vous êtes très belle, m'a-t-il dit à la fin de mon discours désordonné.

Il avait tout pour plaire. J'ai failli craquer. À part les amies et ma progéniture qui tentaient de me rassurer, je n'avais pas entendu un homme me dire ces mots depuis si longtemps. Mais il aurait fallu raconter. Lui demander de ne plus m'offrir de lys, lui avouer que je déteste leur odeur pesante et envahissante. Que je sortais du noir aussi profond que celui d'une mine sud-africaine sans canari pour m'aviser que je manquais d'air. Que j'avais touché le fond de la plus sombre de toutes, la mine d'or de Tau Tona, qui s'enfonce sur près de quatre kilomètres dans le ventre de la terre. Que je me noyais à l'occasion.

Et j'aurais conclu qu'il était trop beau pour mes marques.

— En mai dernier, pour me montrer que j'étais bien vivante, je me lacérais à coups de couteau à pain. Je préférais les couteaux avec des dents, ça entre mieux dans la peau...

C'est lui qui serait parti. En emportant ses fleurs.

◆

Ce soir-là, les filles m'avaient organisé deux rencontres. La suivante a été de courte durée. Il n'y avait ni âme sœur, ni sauveur. Personne ne s'est présenté. Ou du moins ne s'est approché de moi. En lisant l'annonce, cette demande de chaleur sur la peau, l'intéressé avait peut-être imaginé une bombe sexuelle, une fille plantureuse aux seins généreusement offerts sans pudeur aux regards. Une déesse à la bouche porteuse d'avenir. J'étais loin de ce portrait. Je ne remplissais pas les conditions requises. Alors, peut-être qu'il ne s'était jamais pointé ou qu'il s'était dérobé, en s'éclipsant par la porte arrière du resto. Déçu. Tout était possible.

Je suis revenue à la maison, pleine d'empathie pour ceux qui cherchent l'amour. Ces itinérants de la tendresse qui, d'apéros en soupers, gardent espoir. Pour ma part, je n'en avais pas. À peine une petite lueur, toute vacillante.

J'ai appelé Clara. Je le lui avais juré. Elle n'avait pas apprécié mon silence précédent.

— Et puis ?

La voix était plus calme. Elle devinait que je n'avais pas rencontré l'homme de ma vie. Elle s'attendait plutôt au pire. — Rien. Le premier m'a apporté des lys. Le deuxième m'a fait la faveur de ne pas se présenter. Tout en traitant d'irresponsable et de lâche l'abonné absent, mon amie m'a promis qu'on dénicherait le bon candidat. Elle gardait espoir. Pourtant, elle s'était si souvent trompée, Clara. Nous lui devons l'un de nos plus grands moments de délinquance. Une autre de ses conquêtes, rencontrée sur un site populaire, venait de la jeter. Sans avertissement, sans même un appel. Il avait filé tandis qu'elle l'attendait, sagement assise, sa valise tout près d'elle. Ils allaient partir ensemble pour une première fin de semaine dans une petite auberge qu'elle avait choisie avec soin. Son prince charmant n'est jamais venu la cueillir. Nous l'avons fait pour lui. Elle était en larmes.

Ce n'était pas le temps des épanchements ou de la pitié. Nous avons opté pour une attaque d'urgence. Annabelle ne répondait pas à nos appels. Alors, Milou et moi sommes parties en mission. Après un arrêt à l'épicerie, notre rejetée nous a conduites devant la demeure de son prince devenu crapaud. Pendant qu'elle faisait le guet, nous nous sommes attaquées à la voiture du traître. Nous avons fait éclater sur le capot, le pare-brise et le coffre arrière trois douzaines d'œufs qui s'étiraient en de longues traînées jaunâtres et gluantes. Clara, témoin de notre plaisir, a quitté son poste de surveillance pour participer à son tour à cette douce vengeance.

Ce n'est que plus tard que nous avons appris que, par temps chaud, les œufs se fondent à la peinture. Qu'ils s'y incrustent. Ils y laissent des taches qui ne pardonnent pas. Voilà le sort qu'on réserve à ceux qui touchent à l'une d'entre nous.

◆

Cette fois, j'ai dû lui dire la vérité. Celle qui ne m'avait pas quittée.

— Je ne suis pas prête. Je veux attendre un peu.

Sagement, elle m'a annoncé que la pause lui permettrait de peaufiner ses méthodes de sélection. Qu'elle parviendrait à repérer l'homme qui pourrait me convenir.

Je m'étais censurée. Clara était mon amie. À défaut de me comprendre, elle m'aurait écoutée. Je ne lui avais rien raconté de cette impression de tromper Laurent à chacun de ces rendez-vous. Je n'avais rien livré de mon abstinence que je préférais à ces expériences amères.

Je venais de faire un autre – très grand – pas en arrière. Ma cause n'était pas désespérée, mais la route me semblait longue. Ma démarche pesante. Mon ventre abandonné. Où s'était enfuie ma légèreté ?

## CHAPITRE 15

Les amies se sont tues. Moi aussi. Le sauvetage n'aurait pas lieu dans les jours à venir. Un vague sentiment d'échec accompagné de la fin du basilic et de mes fleurs fanées m'a rendue nostalgique de ces jours où j'errais, muette. Il ne se passait plus un soir où je ne coulais pas. Je plongeais sous l'eau le plus longtemps possible. J'espérais m'étourdir jusqu'à en perdre connaissance. Ce serait comment, finir mes jours dans une baignoire moussante aux odeurs de lavande ? Je sentirais sûrement très bon. Je n'y pensais pas sérieusement. Ça demeurait une question.

Un soir, après être revenue à la surface, j'écoutais Annabelle me lire, au bout du fil, la réponse qui allait changer ma vie. Du moins, c'est ce qu'elle prétendait. Retenant bien mal son excitation, elle voulait que je me concentre.

— Tu écoutes et tu ne dis rien.

Promis, je me tais. Et voilà qu'elle répétait, exaspérante, en appuyant sur chaque syllabe :

« Je n'ai rien à donner. Je parle très peu. J'ai la peau qu'il faut. Je n'ai pas envie d'une première rencontre à l'extérieur, seulement dans mon lit. Je serai au parc Lafayette, le 13 novembre, à quinze heures. Libre à vous de vous arrêter si je vous plais. Sinon, passez votre chemin. Je vais et j'irai bien. »

J'appréciais. Il n'y aurait pas d'explication. Une rencontre directe et ce serait fait. Sa finale m'inquiétait tout de même. Il semblait habitué au rejet. Il s'attendait déjà à ce que je passe mon chemin. J'ai pensé qu'il était peut-être laid. Est-ce que je serais capable d'embrasser un homme laid ? J'avais besoin de peau et de désirer. De croire que je pouvais attirer encore un bel étranger. L'ingratitude des traits s'efface avec les sentiments. Je suis sensible à l'intelligence des hommes plus qu'à leur beauté. Mais là, il était question de tout, sauf d'affection, d'admiration. Ce serait au-dessus de mes forces. Et de mes envies.

Outre mes inquiétudes esthétiques, j'étais pour la première fois fébrile. Et si tous mes efforts n'étaient pas vains ? Si je pouvais trouver refuge, sans détour, dans les bras d'un homme ? Je devais y croire. Encore.

Pourtant, avec le bilan des lettres reçues, j'aurais pu m'inquiéter. Selon les statistiques tenues par mon clan, la moitié des hommes qui m'avaient écrit promettaient de me sauver. L'autre s'attendait à ce que je les sauve. Comment aurais-je pu ? Je me retrouvais sur une île pleine d'inconnus. Des gens que je n'avais jamais croisés voulaient me rencontrer. On m'écrivait des pages entières. Pendant des mois, je m'étais coupée du monde. Maintenant, je recevais trop d'attention.

◆

Ma foi était ébranlée. Je détestais les mots inutiles. Cette radiographie du premier instant. Qui est-il ? Me plaît-elle ? Pourquoi la vie nous amène-t-elle jusqu'ici, anonymes dans un café aux boiseries foncées ? Ces babillages flottants, cet intérêt qu'il faut feindre à défaut d'avoir l'air ingrat me déprimaient. L'ensemble de l'œuvre prenait des allures tristes. Malgré les lettres qui s'empilaient, tantôt pleines d'espoir, d'autre fois pathétiques ou illisibles, j'ai déclaré que ce quatrième rendez-vous était celui de la dernière chance.

Après, on balancerait tout au feu, on brûlerait le papier. Après, je ferais comme jadis les maîtresses répudiées, je m'enfermerais chez les sœurs cloîtrées. Je m'endormirais dans des draps rugueux, jusqu'à mon dernier souffle.

En serrant mon manteau, j'ai marché jusqu'au parc. Je me suis appuyée contre un arbre en attendant de repérer mon inconnu. Je n'avais aucune idée de son âge ni de son allure. Nous aurions été avisés de convenir d'un indice, d'un signe distinctif, mais j'appréciais cette manière improbable de fixer notre rencontre.

Le vent soufflait, les feuilles restantes tombaient en un bruissement qui ressemblait à la mer. J'ai fermé les yeux et pris un long souffle. Des effluves de bois, de champignons, peut-être même de noisettes flottaient dans l'air. En les ouvrant, j'ai vu ce qui me semblait un jeune homme, en veste de cuir usé, à la démarche assurée. Il s'est assis, sans même regarder autour, sur le banc désigné. Il a levé la tête, les yeux fermés, pour attraper ce qu'il restait de la chaleur du soleil. J'adore faire ce geste. Je l'observais en me disant qu'un autre, l'auteur de la lettre, allait aussi s'installer tout à côté de lui sur le banc pour brouiller les cartes. Ce serait lui ma dernière tentative.

Je priais pour qu'il y ait un arrêt sur image et que le scénario, dans ma tête, demeure intact. J'ai été exaucée. Il est resté seul à sa place. Le cœur battant, j'ai demandé à Laurent de me soutenir. « Donne-moi le courage. C'est pour mon bien. » Et j'ai foncé. Moi qui déteste les premiers pas, qui suis allergique à ces rencontres, je me suis retrouvée assise à côté de l'homme. Celui de peu de mots qui n'avait pas envie d'aller dans un café, qui voulait nous éviter les paroles creuses et les silences gênants.

Il m'a tendu la main et s'est contenté de dire :

— C'est bien moi qui vous ai écrit. Je suis enchanté.

Un son étrange a jailli de ma bouche. Je ne sais plus si j'ai gloussé ou grogné. Ma première réaction n'avait rien pour l'impressionner ou le séduire. J'ai souri, désarmée. En évitant de trop parler – je voulais prévenir la débâcle –, je lui ai répondu :

— Désolée. Je vais apprendre à parler prochainement, c'est à mon programme de rééducation.

Et ce fut tout. La fin de notre échange, de notre première conversation. Si je compte bien, le bilan s'élève à vingt-cinq mots. Pas un de plus.

Dans un geste surprenant, il a mis son bras autour de mes épaules et m'a entraînée jusque chez lui. Il habitait un vieil immeuble plein de charme, au deuxième étage. Pour ce qui est de l'intérieur, je ne sais plus. D'habitude, rien ne m'échappe. Je vois tout. Je sens tout. Et je veux me souvenir de tout. De cette façon, si les choses tournent mal, je peux dresser une description parfaite de l'individu, du lieu. On apprend ça avec le temps et les sales coups. On retient la leçon lorsqu'on se fait demander, encore sous le choc, la description de l'agresseur et qu'on répond, à son grand désespoir : « Je ne sais plus. J'ai tout oublié. » Et que c'est la vérité. Sur le moment du moins. Après, on y pense beaucoup trop alors qu'on voudrait tout effacer.

Cette fois, mes craintes s'étaient évanouies. Je n'avais plus peur. Il m'a menée directement vers la chambre. Nous nous sommes embrassés avec la fougue de l'épouse soulagée qui retrouve son soldat de mari revenu de la guerre. Intact, avec tous ses membres.

Je n'étais plus dans mon corps, ni dans ma gêne. En état d'urgence, je me suis déshabillée et j'ai fermé les yeux pour les ouvrir, deux heures plus tard, épuisée, libérée, choquée. J'étais vivante. Ma peau, mon ventre n'avaient pas oublié le plaisir. C'est ce jour-là que j'ai pris un bain, que j'ai joui des joues et que je me suis sauvée sans rien dire. Le bilan reste sauf : vingt-cinq mots.

Et je n'ai pas dit merci.

Puis, il y a eu ces autres rencontres, qui se sont soldées par des chutes vertigineuses.

◆

Les amies m'ont rassurée. Elles m'ont promis que je n'avais plus à porter de culpabilité ni de croix. Je suis remplie de reconnaissance pour Annabelle, Clara et Milou. Nos discussions m'ont ébranlée. Leur amitié indéfectible aussi.

Je regrette que nous n'ayons pas célébré dignement le retour de ma voix. Le 14 décembre, il y a un an. Nous aurions dû chanter à pleins poumons, nous couvrir de ridicule toutes ensemble dans un karaoké. Mais non, je suis allée jeter, une fois encore, ma peine en plein visage de celles qui m'aiment.

J'ai marché dans le froid. Sur ma route, j'ai croisé ce bar que j'ai si souvent fréquenté. J'y ai passé tant de soirées, j'y ai rencontré tant d'hommes, plus ou moins fréquentables. J'avais froid, j'y suis entrée.

L'endroit était intact. Derrière le bar, les deux mêmes fidèles serveurs m'ont accueillie avec une joie sincère. Surpris de me revoir. Je n'avais pas changé, juraient-ils. Je n'ai pas eu à commander, mon verre était déjà sur le comptoir. Le temps d'une seule gorgée et un jeune, aux airs d'étudiant, s'est assis à mes côtés.

— Vous venez souvent ici ?

J'avais oublié le creux, l'inutile de ces échanges. Manifestement, il tenait à engager la conversation. À s'approcher de moi. Il était un peu plus vieux que Marion. Ça ne semblait pas le troubler. J'ai tourné la tête et j'ai vu ses trois complices qui nous observaient. J'ai compris.

— Ils ont parié combien ? ai-je soufflé à son oreille.

Il m'a regardée, gêné.

— Vingt dollars si tu mets ta main sur ma cuisse en moins de deux minutes. Quarante si je t'embrasse après dix minutes.

J'ai conclu un marché. Moitié-moitié, sinon rien.

À deux, nous nous sommes amusés de ce pacte inédit. J'avais déjà une main sur sa jambe et j'y prenais plaisir. Je le caressais en la faisant monter très haut sur sa cuisse, à la frontière de son sexe. Ses amis pouvaient profiter du spectacle. Quelques minutes plus tard, je me suis approchée de lui. Sans me presser, j'ai attrapé sa lèvre inférieure, avant d'attaquer celle du haut. Ensuite, je me souviens d'un baiser, presque indécent. Il y avait si longtemps que je n'avais pas embrassé un homme. Avec mon inconnu, je me l'étais interdit après la première fois. Le geste était intime. Et voilà que pour une poignée de dollars, je me fondais dans la bouche d'un étudiant. C'était bon. Je me suis rappelé combien j'aimais embrasser Laurent.

Au bout d'un moment, c'est lui qui m'a éloignée. Il s'est retiré en repoussant mon épaule. J'aurais pu passer le reste de la soirée à profiter de sa bouche, chaude.

Il s'est retourné vers ses amis qui applaudissaient, bons joueurs.

— Tu embrasses bien.

Ce n'était pas un compliment, mais plutôt une observation lancée sur un ton instruit. L'expert en paris avait manifestement une grande confiance en lui. Je me suis retenue de lui dire que oui, j'embrassais bien. Qu'il n'avait pas le quart de mon expérience. Qu'il ne connaissait encore rien au sexe, le vrai. Que je pouvais lui en montrer pendant des journées et des nuits entières. Je me suis contentée de répondre, sans détour :

— Je suis encore plus douée au lit.

Il n'a pas hésité. Ensemble, nous avons quitté le bar, ses amis. Comme tout était simple ! L'histoire se répétait. J'ai repris mon chemin avec quelqu'un à mes côtés, en m'appuyant un peu sur lui. J'en avais besoin. Nous étions silencieux. Je n'avais rien à lui dire. Il m'a appuyée contre un mur de pierre et m'a embrassée encore. Très longtemps. Trop. Peut-être avait-il perçu l'abysse en moi. Le gouffre, ce besoin absolu de désir. De m'accrocher à quelqu'un. Même à un inconnu, de l'âge de ma fille. Puis, il s'est arrêté. Brusquement. Il n'en avait plus envie. Il voulait retrouver ses amis. Il préférait terminer la soirée avec eux. On coucherait ensemble une autre fois, peut-être, si je le voulais. Mais pas ce soir.

Sans même lui demander ma part de la gageure, je suis partie.

Pour oublier cette scène gênante, j'ai pressé le pas. Je ne séduisais plus. Sauf dans les petites annonces d'un journal.

J'ai repensé aux amies. À la soirée. Elles avaient été honnêtes et directes. Elles avaient insisté pour que je rappelle mon bel inconnu. Elles m'avaient assuré que je n'avais rien à me reprocher pour le suicide de Laurent.

Avant de les quitter, il avait fallu que je jure de ne pas donner mon héritage sur un coup de tête au premier sans-abri croisé dans la rue. J'en serais capable.

À une autre époque, la fuite de mon prétendant m'aurait fait sourire. J'aurais flotté d'enchantement avec cette neige légère qui danse avant de tomber. Je me serais moquée de ces ébats inachevés. Je me serais réjouie plutôt des rues qui scintillent à l'approche des fêtes. Cette fois, le cœur n'y est pas. Déjà décembre et j'ai du mal à respirer.

Je redoute Noël. Ces mêmes regards inquiets posés sur moi. « Ça fait pourtant plus d'un an », commenteront les plus impatients. « Elle est fragile », répondront ceux qui n'ont rien compris.

On me surveillera du coin de l'œil en tentant d'évaluer le progrès. Il y en a eu. Mais, naïve, j'ai cru que le temps arrangeait les choses, pour toujours. À certains moments, alors qu'on ose imaginer que tout va mieux, il nous rattrape. Le temps s'accroche à nos jupes, pesant. Il nous tire vers l'arrière, nous fait perdre pied. Il n'arrange rien.

Je ne m'habitue pas au vide. À l'absence. La sienne.

Je me retrouve à m'ennuyer terriblement. Inconsolable parce que, par erreur, la femme de ménage a lavé les écharpes avant de les ranger sagement. Désormais, elles ne sentent plus Laurent. Un matin plus joyeux, j'aperçois dans une vitrine une montre et je me dis « Tiens, Laurent l'aimerait » en oubliant, quelques secondes, qu'il n'est plus là pour la porter. Que je ne goûterai jamais le plaisir de la lui offrir, après l'avoir soigneusement emballée d'un joli papier.

Le temps nous fait mesurer la longueur de l'éloignement. La profondeur du manque. J'ai besoin de peau pour mettre sur ma peine, mais ça ne suffit pas.

Je n'arrivais pas à reprendre mon souffle. Je tremblais. Je devais retrouver la chaleur de la maison, mes lainages et mon lit. J'ai accéléré le pas. Devant la porte, mes envies ont disparu. Tout me semblait si triste. Mon appartement, mes tricots et mes draps que je ne partageais plus. Encore moins ce soir. Je suffoquais à présent. L'air froid chauffait mes poumons. On ne s'en sortait donc jamais ? Je me suis écroulée sur mon balcon et j'ai décidé de ne plus en bouger.

Il était tard et je n'avais peur de rien. Moi qui craignais l'obscurité, les étrangers et les dangers, j'avais marché seule pendant des heures. Moi qui connaissais la rapidité d'un assaut, la surprise et la terreur qui nous empêchent de crier, je m'étais laissée tomber devant ma porte. La proie ne redoutait plus l'ennemi. Je me foutais des passants, de l'homme qui devient animal. On me retrouverait demain, comme dans le conte d'Andersen, morte, gelée, trois allumettes brûlées à mes côtés. Et mes gants verts dans une main.

J'ai tenu bon. J'ai résisté à l'appel de la chaleur, à la tentation d'un bain chaud, au poids de la couverture.

J'ai gratté une première allumette et je n'ai rien vu. Une deuxième, et j'ai senti sa chaleur. À la troisième, plutôt qu'une grand-mère, je rêvais d'entrevoir Laurent. Elle s'est éteinte. Après, je ne sais plus si je me suis endormie ou si j'ai perdu conscience. Je me suis abandonnée. Délivrée.

C'est une voisine qui m'a réveillée. Elle descendait d'un taxi, ivre. Elle m'a aperçue sur le balcon. Il était passé deux heures du matin et elle voulait appeler la police ou les ambulanciers. J'avais été agressée ? Non, pas cette fois. J'avais eu un malaise ? Elle s'interrogeait trop haut et trop fort. La bouche gelée, les paroles maladroites, je l'ai rassurée. Tout allait bien, j'avais juste besoin de chaleur. Elle a tâtonné de longues minutes dans mon sac à main avant de trouver mes clés. Après plusieurs tentatives ratées, qui la faisaient glousser chaque fois, elle a ouvert enfin la porte. Ensemble, nous avons titubé jusqu'à ma chambre. En marmonnant qu'elle arrivait de la fête de Noël de son bureau, elle a retiré mes bottes et frotté mes pieds.

Les locataires du haut ont frappé sur le plancher. Il était trois heures du matin et ma bonne samaritaine ne s'en souciait pas. Après m'avoir bruyamment transportée sur mon lit, elle s'est effondrée juste à côté de moi, de tout son poids. En dix secondes, elle s'était endormie. Je l'imaginais plus tôt, dansant sans retenue, se voulant désirable, rêvant d'éblouir. La pauvre avait échoué. Une longue maille à son bas, décoiffée, elle avait tout perdu de sa superbe. Pire, elle venait de choir dans le lit d'une voisine souffrant d'hypothermie. Rien ne se passait comme dans ses espoirs les plus fous ou comme dans mon conte d'Andersen.

Peu à peu, je retrouvais mes esprits. Je ressentais une brûlure aux mains et aux pieds. Je m'inquiétais. Pourvu qu'elle ne soit pas malade sur moi. Sur les couvertures, je m'en foutais ; sur moi, je ne m'en remettrais pas. « Je dois prendre un bain chaud. Je vais mourir d'une pneumonie. » J'avais du mal à bouger chacune de mes extrémités, prisonnières d'un étau invisible.

« Mes pieds sont sûrement bleus. » J'étais fatiguée et je laissais la panique m'envahir. « Devra-t-on m'amputer ? » Je voulais marcher encore, danser si l'envie m'en revenait. J'ai tendu la main vers le téléphone. De mes doigts invalides, que je sentais immenses, j'ai composé le premier numéro qui m'est venu en tête. Que j'ai appris par cœur. En cachette.

— Aide-moi.

C'est tout ce que je suis parvenue à lancer en lâchant le combiné.

Mes lèvres ne me suivaient plus. Avant de fermer les yeux, j'ai pensé à ma voisine qui aurait honte demain et j'ai entrevu le sourire de Laurent sur le mur. Cette photo était magnifique.

Mon inconnu a fait vite. Il est entré dans mon appartement, dont il a trouvé l'adresse sur Internet. Jamais il n'avait mis les pieds chez moi. Il ignorait que nous habitions si près l'un de l'autre.

Il s'est moqué en nous apercevant ainsi, comme des poupées abîmées, dans le même lit.

— Ça va ? a-t-il lancé en tentant de soulever ma voisine, qui n'avait pas envie d'être embêtée.

Peu importe, elle s'est retrouvée, ronflante, sur le canapé du salon.

Je me suis laissé dévêtir. Il m'a mise sous les couvertures, a enlevé ses vêtements à son tour. Il m'a assuré que peau à peau, c'est ce qui était le plus efficace. Que si jamais je me perdais dans le bois et que je gelais, je devais me mettre nue contre quelqu'un. Qu'il n'y avait rien de plus chaud que deux corps. C'est une méthode qu'on apprenait dans tous les cours de survie. Je n'écoutais plus. Je me perdais dans ses bras, sur cette peau. Mes tremblements s'apaisaient. Il regardait mes pieds. Les massait. Soufflait sur eux, pour les réchauffer. La honte. Je les trouve laids. Les miens comme ceux des autres. Il a affirmé que je conserverais chacun de mes orteils avant de revenir vers moi et de m'enlacer. Je pleurais. De ses mains, il essuyait mes larmes. Il était ma dernière allumette. Celle qui me donnait de la chaleur et qui ne m'abandonnait pas.

Alors que je touchais le sommeil, il m'a laissée. J'ignorais s'il était resté avec moi longtemps. Mais j'entendais les voitures. La ville se réveillait. Il a remonté ma couverture jusqu'au menton, m'a dit que tout irait bien. C'était vraiment trop de tendresse pour cette mauvaise nuit. J'avais envie de lui dire de ne pas me quitter, de rester avec moi – même si Laurent était partout dans cette chambre. Table de chevet, commode, murs. Cinq photos de lui, souriant, heureux, beau.

— C'est à cause de lui, le cœur brisé?

J'ai fait signe de la tête.

— Il a décidé de partir, il y a un an.

Mon inconnu a répondu par un silence avant de m'embrasser sur le front, avec une douceur qui m'a émue, et m'a soufflé:

— Dors bien.

Dors bien. Exactement les deux derniers mots que j'ai dits à Laurent avant qu'il ne se pende. Je ne dormirai plus jamais bien.

## CHAPITRE 16

Le réveil est doublement brutal. Une étrangère est malade dans ma salle de bain tandis qu'un camion m'est passé sur le corps durant la nuit. Tous mes muscles ont mal. Je suis incapable de me lever. L'enfer, à petite dose, c'est sûrement ici, en ce moment.

Et ce matin, une autre trahison, je ne pense pas à Laurent, mais plutôt à l'homme discret qui est venu me sauver. Ces pensées interdites qui défilent sous mes yeux mi-clos s'esquivent rapidement. Ma voisine n'a pas le lendemain de veille raffiné. Je redoute l'état de cette pièce. Je l'éviterai pour les prochaines heures, tout comme je fuirai les miroirs. Je crains de ne pas être à mon mieux. J'ai envie de me noyer ici, dans mon lit. Je n'en ai pas l'énergie. Alors, je m'écris.

*C'était la première fois qu'elle rêvait d'un autre homme de cette manière. Elle s'apprêtait à trahir Laurent. Elle éprouvait des sentiments pour l'inconnu. Sa conscience – la bonne ou la mauvaise, elle ne saurait dire – lui recommandait de tout arrêter. Elle n'était pas digne d'un nouvel emballement du cœur. Elle ne saurait plus rendre un homme heureux. Elle ne l'avait pas su.*

Ma narration, celle qui me sauve parfois, est interrompue par le « Désolée et merci beaucoup » de ma jeune voisine. Du haut de ses vingt-cinq ans, elle ne semble pas trop abîmée malgré les derniers instants d'agonie qu'elle vient de traverser.

Je ressens de l'empathie pour elle, pour sa soirée gâchée, son collant déchiré. Elle a quelque chose de vulnérable et d'attachant. Si j'avais été un homme, je l'aurais prise dans mes bras et lui aurais soufflé qu'elle était la plus belle. Et que si, hier, personne n'était tombé sous son charme, c'est qu'ils étaient tous des abrutis.

— C'est à moi de vous dire merci.

Elle m'a regardée, incrédule.

— Oui, j'aurais pu mourir, être amputée, violée, mais vous m'avez délivrée de toutes ces menaces. Je vous dois beaucoup.

Elle est partie la tête haute. Sans cette honte que l'on porte secrètement, le jour d'après.

◆

Les choses se sont arrangées, lentement. J'ai été clouée au lit pendant trois jours. J'ai compris que je n'avais pas voulu en finir. Je voulais être sauvée par mon mystérieux amant. Une manière extrême de vérifier si je comptais pour lui. S'il n'était pas venu, j'aurais accepté que seule la peau nous liait. Je fais peut-être fausse route, mais je sens qu'il y a plus. Je demande au temps, celui qui parfois se défait de nos jupes et nous projette vers l'avant, de se montrer bienveillant.

Marion est venue préparer des soupes, Antoine a fait des courses et, ensemble, ils ont décoré l'arbre de Noël.

Quelques jours avant la fête, j'étais remise sur pied. Je distribuais des billets aux sans-abri. Je préparais des paniers pour les plus démunis. Je donnais de généreux pourboires aux chauffeurs de taxi gentils avec moi.

Et, surtout, j'évitais de penser à Laurent et, maintenant, à Julien. Puisqu'il a mis les pieds chez moi, qu'il connaît ma chambre et qu'il m'a vue pleurer, je peux bien le nommer. Mon inconnu s'appelle Julien. Je n'en sais guère plus. J'ai souri en apprenant son nom.

Après son départ, j'ai fait le tour de la chambre d'un seul regard. J'ai réalisé que j'en avais fait un monument à la mémoire de Laurent. Il n'était pas étonnant que je pense toujours à lui : il m'observait sous tous les angles. Il n'y avait que lui dans mon paysage.

J'ai tout enlevé. Je n'ai rien trouvé de mieux pour passer les heures jusqu'au réveillon. Désormais, mon disparu ne me regarde plus que de ma table de chevet. J'avais prévu le coup et acheté des lithographies et des reproductions qui étaient placées contre le mur, prêtes à être installées. Ma chambre m'appartient de nouveau. Dans un coffre de bois, j'ai soigneusement glissé les photos, protégées par du papier de soie. Mon amoureux était un homme doux, je le traitais avec délicatesse. Je lui ai dit : « Joyeux Noël, où que tu sois. » Puis, j'ai refermé le coffre et, avec lui, une année de tristesse, de remords et de questions qui resteraient sans réponse.

Qu'est-ce que je n'ai pas vu ?

Qu'est-ce que j'ai fait ?

Je ne le saurais jamais.

De toute façon, ça ne changerait rien.

◆

Comme une rencontre dont on se méfie, comme un rendez-vous qui nous pesait et finalement nous ravit, Noël m'a surprise. Depuis novembre, j'appréhendais la fête. Je me répétais que je ne serais pas à la hauteur. Jamais je ne pourrais livrer la prestation de l'année d'avant. Toutefois, je n'ai pas eu à jouer. Je retrouvais les enfants et leurs amis, en ce soir de réveillon. Le sapin brillait. Marion et Antoine lui avaient ajouté des cœurs et des pommettes. La table, avec ses bougies et ses noix de pin, n'avait jamais été aussi belle. Aussi bien entourée. Elle recevait les égards qu'elle méritait. Je m'étais amusée de longues heures à emballer les cadeaux achetés, sans compter pour une fois. Je faisais tout pour retrouver le sens de la fête. Les enfants, heureux, oubliaient même de me lancer des coups d'œil attentifs. Ils ne s'inquiétaient plus d'une éventuelle rechute. Ma joie n'était pas artificielle.

Tout va bien, je n'ai rien pris, je n'ai rien avalé. Je suis ici avec vous, dans l'instant présent. Je viens de laisser le passé.

Je n'ai pas craint la nuit, ni le lendemain. Le souper avec la famille élargie a été fidèle à la tradition : bruyant, joyeux, épuisant. Unanimement, on s'est réjoui de ma bonne mine. Le vin aidant, on m'a souhaité un autre homme dans mon lit. Une tante, éternelle célibataire, a même lancé : « Quelqu'un qui ne t'abandonnera pas ! »

Malgré la maladresse des mots, je n'ai pas eu envie de m'effondrer. J'étais d'accord. Je m'éloignais de Laurent. Je redoutais cependant l'oubli. Je craignais que, dans quelques années, on me parle de lui en disant : « Tu sais, comment il s'appelait déjà, celui qui s'est pendu... » Ou encore qu'on me rappelle : « Tu te souviens de toute ta tristesse, pourtant tu n'as été que sept mois avec lui... » Je devais protéger la place qui lui revenait. Et pour l'instant, je la mesurais mal.

Je chérissais l'affection de mon frère et de mes sœurs. Celles que j'avais fuies. En pleine détresse, je n'avais su trouver ma place parmi eux. Tous s'attristaient de mon sort, tentaient de trouver les mots. Il m'était apparu plus simple de les éviter. Depuis toujours, mon rôle consistait à divertir surtout. Je les amusais, je les surprenais. Je les décourageais avec mes intrigues compliquées. D'une fête à l'autre, ils en oubliaient les prénoms de mes prétendants. Lorsque je les appelais, fébrile, pour annoncer que je venais de rencontrer l'homme que j'épouserais, un silence sceptique accueillait la nouvelle. Ces déclarations se répétaient aux six mois, aux années tout au plus.

Avec Laurent, mon amour était si grand que je m'étais abstenue de faire-part, de discours publics et exaltés. Je n'avais pas à me convaincre. Et je m'étais abandonnée à cet amour en négligeant tout le reste. Enfants, famille, travail. Puis, il y a eu ces mois sombres. Je saisissais, de nouveau, l'inébranlable force de nos liens. Plus jamais je ne me retrouverais, sur le sol, à ramper pour les éviter.

Ce soir-là, malgré la fête, la fratrie et le temps qui arrange les choses, je me suis tout de même endormie en tenant fermement d'une main l'annonce publiée dans le journal. À sa parution, je l'avais découpée et rangée dans ma table de chevet. « Cœur encore brisé ne recherche ni sauveur, ni âme sœur. Seulement un peu de peau à mettre sur sa peine. » C'est ce que j'avais eu. Complètement. Mieux que dans mes plus grands espoirs.

Je flanchais un peu. J'aurais aimé qu'il me rappelle. Qu'il s'informe de mon état. Qu'il s'inquiète. Il était devenu plus que de la peau.

De l'autre main, je tenais l'étoffe de Laurent. De moins en moins utile.

Laurent et Julien me manquaient. Tous les deux.

◆

Une autre fois, j'ai appelé. Comme une gamine, je prends de plus en plus de liberté jusqu'à ce que l'on me dise non, de manière autoritaire. La réponse a été sans nuance. Elle contrastait avec la retenue prescrite dans notre arrangement.

— Je voulais te proposer la même chose. On célèbre l'an nouveau ensemble ?

Le ton tranchait avec les barrières que nous nous étions imposées. Il y avait là une toute petite fissure qui me réjouissait. Et je pouvais respirer : je ne me retrouverais pas, ce 31 décembre, à pleurer devant les étoffes glacées de Laurent. J'aurais un homme à mes côtés. Et j'en avais – très – envie.

Il est arrivé vers dix heures. J'ai retrouvé avec bonheur son parfum, celui que j'ai cherché dans mes draps les dernières nuits. J'avais préparé un réveillon. Juste au cas où. Peut-être allions-nous goûter ensemble un premier repas ? Et avoir une première conversation ? Nos rencontres se sont toujours résumées à quelques mots. Pas de banalités, seulement l'essentiel de ceux qui sont là pour les frissons, rien d'autre. En général, il suffit de deux minutes pour que nous nous retrouvions nus, soufflant, gémissant, dans le couloir, contre un mur, sur un divan. Les politesses n'existent pas. Nous sommes parfaitement mal élevés.

Pourtant, ce soir, nous affichons nos bonnes manières. Nous parlons tout naturellement malgré une certaine gêne. Celle des étrangers qui ont été intimes avant de se connaître. En ouvrant le champagne, je m'excuse pour le mélodrame raté sur le balcon. Nous nous moquons de mon obsession pour les pieds. Nous trinquons à la bonne fée ivre, puis à mon annonce dans le journal. Il n'avait jamais rien lu de pareil. Et de si tentant. Finalement, je lève mon verre au grand nettoyage de ma chambre. Je veux que Julien en soit témoin. Je l'y entraîne d'ailleurs afin qu'il mesure l'étendue du geste.

— Tu n'as gardé qu'une seule photo?

— Oui, il veille sur moi d'en haut. C'est pour ça qu'il y a le ciel.

J'ai, sur le coup, une pensée pour ces trois petits Anglais qui doivent parler à une étoile chaque soir en se couchant. Et une autre pour Léa, ma collègue au cœur triste. En ce 31 décembre, de toute mon âme, de toute ma peine qu'elle a transformée en pardon, je lui souhaite d'aimer la vie. En mesurant son absence, j'imagine enfin Laurent qui me regarde de bien haut. J'espère qu'il ne m'en veut pas.

Et il y a Julien, celui qui me fait jouir des joues, du ventre, de l'intérieur des bras. Cet homme qui m'apprend que le corps n'est qu'un vaste territoire érogène, une terre fertile. Celui-là même qui me trouble et m'émeut. Il m'a menée jusqu'à la table de la cuisine. Il en a écarté les plats, les bougies, la nappe. Il m'étend sur le bois travaillé par mon disparu. Ce bois que je connais par cœur. Dont je trace, de mémoire, tous les sillons, toutes les veines. En silence, il soulève ma robe. D'une main avisée, il enlève mon collant. Puis il me chavire sur le ventre. J'ai maintenant le visage contre l'œuvre de mon amoureux dont je chasse l'image. De toutes mes forces. Je souhaite une belle soirée. Du début à la fin. Pour une fois.

Alors que Julien me prend comme il sait si bien le faire, d'instinct, sauvagement, mes joues caressent le bois lissé par Laurent. Au moment où je m'apprête à sombrer, épuisée par ce singulier contraste entre la rudesse de l'un et la douceur de l'autre, mon amant me retourne. Comme s'il avait deviné. Avec recueillement presque, il embrasse chacune de mes cicatrices. Jamais il n'en avait fait mention. Comme moi, il les avait tues. En ce moment, il les baise, les effleure, les honore. À sa manière silencieuse, il m'amène à comprendre qu'elles font partie de moi. Sans mots, il me dit que même si je me suis infligé ces blessures, je ne dois plus en avoir honte. Jamais.

Chacun a ses stigmates, son parcours. Le mien est aussi fait de ces marques qui racontent, comme les anneaux d'un arbre, toute mon existence.

Je pleure en silence. Julien me réconcilie avec cette dernière année. Je me pardonne. Je pardonne à Laurent. À tous ceux qui partent sans laisser d'adresses ou de lettres.

Minuit vient de passer. Et sur la table, pendant que l'on fait l'amour à mes blessures, je me jure d'être heureuse.

Je m'appelle Julia.

Je sais. Julien et Julia. Nous avons souri en nous présentant.

Je m'appelle Julia. Et je fais une promesse.

La prochaine année sera belle.

Je touche du bois.

Suivez les Éditions Libre Expression sur le Web :
www.edlibreexpression.com

Cet ouvrage a été composé en Warnock Pro 11/16
et achevé d'imprimer en janvier 2014 sur les presses
de Marquis imprimeur, Québec, Canada.

certifié    procédé    100% post-    archives    énergie
        sans chlore  consommation  permanentes  biogaz

Imprimé sur du papier 100 % postconsommation,
traité sans chlore, accrédité Éco-Logo et fait à partir de biogaz.